먹을수록 건강해지는 우리음식

# 나물이 좋다

# 산나물, 들나물이 우리 몸을 지켜줘요

날이 풀리고 초록이 물들기 시작하니 마트의 나물 코너가 풍성해졌어요.

콩나물, 시금치 등 자주 먹는 나물은 물론 냉이, 원추리, 유채 등 제철 나물들도 가득해요.

향긋한 나물 향이 하도 좋아 한 봉지 사들고 와서는 조물조물 무쳐 밥상에

올리니 입맛이 확 살아나네요.


나물은 맛과 향도 좋지만 몸에 좋아서 더 찾게 돼요. 몸에 쌓인 독을 없애고

성인병 예방에도 좋으니까요. 게다가 현대인에게 부족하다는 식이섬유도 풍부하지요.

시골밥상이 건강식으로 인기를 누리는 이유가 바로 나물 때문이에요.


제철 나물은 신기하게도 그 계절에 필요한 영양소를 가지고 있어요. 봄나물에는 식욕을

돋우고 춘곤증을 이기게 하는 성분이 들어 있고, 여름 나물은 수분이 많아 갈증을 없애고

무더위를 이기게 하지요. 또 말린 나물에는 채소가 적은 겨울철에 비타민을

섭취할 수 있게 한 옛 어른들의 지혜가 담겨 있어요.


맑은 햇살과 땅의 기운을 먹고 자란 산나물, 들나물에는 자연의 생기가 가득해요.

우리 몸을 지켜주는 나물 한 접시, 오늘 저녁 밥상에 올려 보면 어떨까요?

# 차례

## Part 1
생나물

## Part 2
무침나물

● 이 책의 레시피는 모두 4인분입니다.

# 1년 내내 건강하게 **제철 나물 캘린더**

| 1월 | 2월 | 3월 | 4월 | 5월 | 6월 |
|---|---|---|---|---|---|

**고사리**

위를 튼튼히 하고 소화가 잘 된다. 말린 고사리가 생 고사리보다 영양이 풍부하다.

**돌나물**

미네랄이 풍부해 무기력해지기 쉬운 봄에 활력을 준다. 양념장을 곁들이거나 물김치를 담근다.

**쑥갓**

맛과 향이 독특하며 비타민 A와 B군, 미네랄이 풍부하다. 생으로 또는 데쳐서 무쳐 먹는다.

**머위**

쌉쌀한 맛이 나며, 칼슘과 비타민 A 등이 풍부하다. 무침이나 볶음, 쌈으로 먹는다.

**더덕**

쌉쌀하고 향이 진하다. 사포닌이 들어 있고 단백질과 미네랄이 풍부하다. 무침이나 구이를 한다.

**근대**

피부 미용과 아이들 성장 발육에 좋다. 데쳐서 무치거나 국거리로 쓴다.

**쑥**

향이 좋으며 몸을 따뜻하게 해 여성에게 좋다. 나물, 국, 전 등을 한다.

**쪽파**

살균 작용을 하고 소화를 돕는다. 김치나 무침, 전 등을 한다.

**미나리**

향긋한 향이 입맛을 돋운다. 칼슘과 칼륨, 비타민 A 비타민 C가 풍부하고 해독 작용을 한다.

**얼갈이배추**

비타민C가 풍부하며, 가열해도 영양 파괴가 적다. 겉절이나 국거리로 많이 쓴다.

**봄동**

이른 봄에 나는 여린 배추로 베타카로틴과 비타민 C, 칼슘 등이 풍부하다. 달콤하고 고소해 겉절이를 하면 맛있다.

**두릅**

어린순으로 독특한 향과 쓴맛이 난다. 사포닌이 들어 있어 혈액순환을 돕고 피로를 푼다.

**오이**

수분이 많고 비타민 A와 C가 풍부한 알칼리성 식품. 무침, 볶음 등을 한다.

**배추**

겨울철 비타민 보충의 주역. 김치, 겉절이 등을 만든다. 잎을 말려서 된장이나 고춧가루에 버무려 먹기도 한다.

**취나물**

단백질, 칼슘, 인, 철분, 비타민 등이 많다. 무치거나 볶아 먹는다.

**고구마줄기**

비타민과 칼슘, 칼륨이 풍부해 골다공증과 고혈압을 예방한다. 주로 볶아 먹는다.

**죽순**

아작아작하고 향이 독특한 대나무 순. 몸속의 나트륨을 배출하고 콜레스테롤을 줄인다.

**냉이**

비타민과 단백질이 풍부한 대표 봄나물. 칼슘, 철분 등이 많아 몸에 활력을 준다. 나물, 국, 찌개 등에 쓴다.

**도라지**

식이섬유가 풍부하고 사포닌이 들어 있다. 생으로 초무침을 하거나 볶아서 먹는다.

**씀바귀**

쌉쌀한 맛이 봄에 잃기 쉬운 입맛을 살린다. 주로 고추장 양념에 무쳐 먹는다.

**풋마늘대**

알싸한 맛이 입맛을 돋운다. 비타민과 미네랄이 풍부하고 신진대사를 원활하게 한다.

**부추**

비타민 A와 B군이 풍부하며, 독특한 향이 입맛을 돋운다. 무침, 겉절이, 김치 등을 한다.

**달래**

알싸한 맛이 나며 비타민이 풍부하다. 겉절이 양념에 무치거나 전을 부쳐 먹는다.

**상추**

콜레스테롤을 줄이고 피부 미용에 좋다. 무침이나 쌈으로 먹는다.

제철 나물은 신선하고 영양이 풍부할 뿐 아니라 맛과 색감이 뛰어나요. 싸고 쉽게 구할 수 있는 것도 제철 나물의 장점이죠. 자연에서 자란 싱싱한 제철 나물로 가족의 입맛도 살리고 건강도 지키세요.

| 7월 | 8월 | 9월 | 10월 | 11월 | 12월 |
|---|---|---|---|---|---|

**우엉**

아작아작한 뿌리채소. 비타민 C, 철분, 칼슘, 칼륨 등이 많고 식이섬유도 풍부하다.

**시금치**

비타민 A와 C, 철분이 풍부한 대표 녹황색 채소로 소화가 잘 된다. 나물과 국거리로 쓴다.

**무**

수분과 비타민 C가 풍부하며 소화를 돕는다. 채 썰어 볶거나 생채를 한다.

**노각**

수분, 칼슘, 식이섬유가 풍부한 여름 채소. 주로 고추장 양념에 무쳐 먹는다.

**당근**

베타카로틴이 풍부해 눈을 밝게 한다. 기름과 함께 조리하면 흡수율이 높아진다.

**참나물**

비타민, 철분, 칼슘이 풍부하다. 아삭아삭하고 쌉쌀하며 향이 좋아 생채로 먹는다.

**연근**

칼륨과 식이섬유가 풍부하고 타닌과 철분이 풍부해 수렴작용, 지혈효과가 있다.

**가지**

수분이 많고 칼로리가 적다. 무치거나 기름에 볶아 먹는다.

**깻잎**

향긋한 향이 입맛을 돋우는 여름 채소. 비타민 C와 K가 많아 스트레스와 피로를 풀어준다.

## 계절마다 필요한 영양을 챙기세요

**봄** 생체 리듬이 깨져 춘곤증이 찾아오고 나른함, 식욕부진 등이 나타난다. 쌉쌀한 봄나물로 입맛을 살리고 비타민, 미네랄 등 부족한 영양소를 보충한다.

**여름** 무더운 날씨에 에너지 소모가 많아 지치고 입맛이 떨어지기 쉽다. 여름 채소에 풍부한 비타민, 미네랄, 식이섬유를 섭취하면 피로 해소에 도움이 된다.

**가을** 겨울철의 추위를 대비해 신선한 식품으로 영양을 보충해 두는 것이 좋다. 여러 가지 작물이 풍성하게 나는 때이니 다양하고 풍요로운 밥상을 차린다.

**겨울** 날씨가 추워지기 때문에 몸의 면역력이 떨어질 수 있다. 비타민을 섭취해 면역력을 기르는 것이 좋다. 배추와 무를 자주 먹어 비타민을 보충한다.

**애호박**

비타민 A와 C, 미네랄, 당질이 풍부해 야맹증, 소화기 질환에 좋다. 볶음, 전 등을 한다.

# 약이 되는 산나물·들나물

산과 들에서 자라는 나물은 영양이 풍부할 뿐 아니라 질병의 예방과 치료에도 뛰어난 효과를 발휘해요.
산성화되어가는 몸을 알칼리성으로 바꾸고 저항력을 길러주지요. 산나물, 들나물의 다양한 효능을 알아봅니다.

## 쑥  살균 작용이 뛰어나요

고혈압과 신경통, 부종 등에 좋은 약초다. 진통·해독·소염 작용이 있으며 특히 감기 치료에 효과가 있다. 살균 작용이 뛰어나 피부병에도 효과적이다.
쑥은 단오(5월 5일)가 지나면 약효가 떨어지기 때문에 그 전에 캐는 것이 좋다고 알려져 있다. 초봄에 새싹을 뜯어 햇볕에 말려 두었다가 차로 끓여 먹으면 혈압을 낮추는 데 도움이 되고, 인슐린 분비를 촉진하여 호르몬을 조절함으로써 당뇨병을 치료한다. 맛이 강해서 음식을 만들어 먹을 경우에는 하루쯤 물에 담가두었다가 쓰는 것이 좋다.
쑥을 말리거나 데쳐서 한 번에 쓸 만큼씩 따로 싸서 냉동실에 넣어 두면 1년 내내 먹을 수 있다.

## 도라지  호흡기 질환을 예방해요

철분, 단백질, 칼륨, 칼슘, 엽산, 인, 비타민 C, 아연 등 다양한 영양 성분과 식이섬유가 풍부하다. 약효가 좋아 한방 재료로 많이 쓰이며, 특히 산에서 자란 도라지는 효능이 훨씬 뛰어나다.
사포닌이 들어 있어 기관지염, 감기, 편도선염, 천식과 같은 호흡기 질환의 예방과 치료에 좋고 위의 염증이나 궤양을 억제하는 데도 도움이 된다.

## 달래  소화기관을 튼튼하게 해요

산과 들에서 자라는 달래는 줄기와 뿌리를 모두 먹을 수 있으며 쌉싸래한 맛이 특징이다.
비장과 신장, 소화기관에 좋고, 뿌리를 생으로 먹거나 갈아서 하루에 세 번씩 물에 타 마시면 위장병과 월경불순을 개선하고 신경 안정에 탁월한 효과를 볼 수 있다. 풍부한 칼슘은 빈혈을 예방하고 간장 기능을 좋게 한다. 그러나 성질이 따뜻하고 매운맛이 강해 열 때문에 생기는 안질이나 구내염이 있는 사람, 위가 약한 사람은 주의해야 한다.
달래는 뿌리가 클수록 매운맛이 강하다. 연한 것은 양념에 무쳐 먹고, 굵은 것은 된장찌개 등에 넣어 먹는다.

## 곰취  간 기능을 좋게 해요

산간에 군락을 이뤄 자란다. 쌉쌀한 맛과 진한 향이 좋아 생으로 또는 데쳐서 쌈을 싸서 먹거나 볶아 먹는다. 또한 곰취로 된장국을 끓여 먹으면 입맛이 없을 때 식욕을 돋우는 효과가 있다.
곰취는 만성 간염, 간 기능 저하, 숙취 등에 좋다. 간 기능에 이상이 있을 때 참나물과 함께 생즙을 내어 마시면 상당한 효험을 볼 수 있다.

## 두릅  위암을 예방해요

산기슭이나 골짜기에서 자라는 두릅나무의 어린순이다. 단백질과 비타민 C가 풍부하며 위의 기능을 향상시켜 위경련이나 위궤양을 치료한다. 꾸준히 먹으면 위암도 예방된다. 두릅에는 신경을 안정시키는 칼슘도 많이 들어 있어 마음을 편하게 하고 불안, 초조감을 없앤다.
정신적인 긴장이 지속되는 일을 하는 사람과 학생이 먹으면 머리가 맑아지고 숙면에 도움이 된다.
두릅의 생즙을 마시면 통풍, 두통, 신경통에 좋다. 발암 물질과 담배에 들어 있는 유해 물질의 활동성을 90%까지 억제하는 것으로도 밝혀졌다.

### 냉이 간과 눈 건강에 좋아요

들에서 흔히 볼 수 있는 봄나물로 줄기와 뿌리를 깨끗이 손질해 된장국을 끓여 먹거나 뜨거운 물에 데쳐서 고추장, 된장 등에 무쳐 먹는다.

냉이는 간을 튼튼하게 하고 눈을 밝게 하며 위와 장을 튼튼하게 한다. 비타민, 철분, 칼슘이 많이 들어 있어 춘곤증을 없애고 입맛을 돋우며 고혈압, 간장병, 백내장, 녹내장, 패혈증 등에도 좋다. 이뇨 작용이 있고 변비를 해소하며 이질, 설사, 복막염 등에도 좋은 효능을 보인다.

냉이 씨를 침대 밑이나 옷장에 넣어 두면 벌레가 생기지 않고, 씨앗을 태워서 연기를 피우면 파리가 접근하지 않는다.

### 원추리 종양과 궤양을 치료해요

강원도에서 가장 이르게 나는 봄나물로 깊은 산에서 자란 것일수록 연하고 부드럽다. 종양, 궤양, 폐결핵, 황달에 큰 효과를 보이며 뿌리는 불면증을 치료하고 마음을 안정시키며 스트레스를 없애는 데 도움을 준다.

원추리를 말려서 해열제로 쓰기도 한다. 말린 원추리를 물에 오랫동안 우려서 마시면 열을 내리는 데 도움이 된다.

원추리는 쌉쌀하면서도 담백한 맛이 있어 이른 봄에 솟아나온 어린순으로 나물을 하거나 국을 끓여 먹으면 좋다. 단 원추리 뿌리에는 약간의 독이 있어 너무 많이 먹으면 신장에 무리가 올 수도 있으니 주의한다.

### 참취 진통 효과가 좋아요

진통, 해독, 지혈 등에 좋다고 알려져 있으며 근육과 뼈의 통증이나 요통, 두통, 방광염, 장염으로 인한 복통 등에도 효과적이다. 옛날에는 타박상이나 뱀에 물렸을 때 치료약으로 쓰였다고 한다.

최근에는 참취에 발암 물질의 작용을 70~90% 억제하는 성분이 있다고 알려져 주목받고 있다. 늦가을이나 이른 봄에 뿌리를 캐서 말린 뒤 잘게 썰어 은근하게 달이거나 가루로 만들어 먹으면 효과를 볼 수 있다.

참취를 데쳐서 국간장으로 양념해 무쳐 먹거나 넓은 잎사귀를 살짝 데쳐 쌈을 싸 먹어도 좋다.

### 방풍 중풍 치료에 효과 있어요

이름에 중풍을 막는다는 뜻이 담긴 방풍은 풍증을 치료하는 약으로 쓰인다. 춥고 열이 나며 두통, 몸살, 인후통이 있을 때도 좋다. 방풍을 달인 물은 해열 작용이 뛰어나고 염증 치료에 효과적이며, 면역 기능을 활성화시켜 알레르기와 위궤양을 개선한다.

### 씀바귀 면역력을 높여요

논과 밭 주위에서 흔히 자라며, 씨앗이 땅에 떨어져 싹이 나면 뿌리가 왕성하게 뻗어나가 번식한다. 씀바귀의 강한 쓴맛은 이른 봄 식욕이 없을 때 입맛을 돋우는 역할을 한다. 염증을 가라앉히는 효과가 있어 예부터 입 안이 헐었을 때 짓찧어 붙이거나 즙을 내서 마셨다고 한다.

씀바귀는 항암 효과가 뛰어난 알리파틱, 항산화 기능을 가진 시나로사이드 성분이 풍부해서 면역력을 높이고 각종 성인병을 예방한다. 또한 이눌린, 팔미틴, 셀친 등의 성분은 해열, 거담, 천식 치료, 변비 해소 등에 효과가 있다. 최근에는 스트레스 해소, 박테리아 살균 작용을 하는 것이 입증되기도 했다.

# 나물 고르기와 손질 & 보관 요령

음식은 재료가 좋아야 맛도 좋아요. 나물도 좋은 것을 골라 손질을 잘하면 맛과 영양을 한층 더 살릴 수 있지요.
맛있고 싱싱한 나물 고르기부터 손질법, 보관법까지 지금부터 하나하나 알려드려요.

**냉이**

**고르기** 뿌리가 굵은 것이 향이 진하고 단맛이 난다. 잔뿌리가 많은 것, 잎이 연하고 짙은 녹색인 것을 고른다.

**손질하기** 누런 잎을 떼고 칼로 뿌리에 붙어 있는 흙을 긁어낸 뒤 흐르는 물에 씻는다. 끓는 물에 소금을 조금 넣고 뿌리부터 넣어 데친다.

**보관하기** 신문지에 싸서 냉장실에 둔다. 살짝 데쳐 물기를 짜서 얼려도 좋다. 데친 냉이를 랩에 싸서 냉동실에 넣어 두면 2~3일 정도 싱싱하게 먹을 수 있다.

**미나리**

**고르기** 잎이 푸른색을 띠는 것을 고른다. 길이가 길고 속이 꽉 찬 것, 줄기가 두꺼운 것이 좋다.

**손질하기** 잎 부분은 향이 약하므로 떼어 내고 줄기만 다듬어 씻는다. 끓는 물에 소금을 넣고 살짝 데쳐 찬물에 담가 식힌다.

**보관하기** 잎을 떼고 줄기만 다듬어 신문지에 싸서 냉장실에 세워 둔다. 데친 것은 물기를 살짝 짜서 비닐봉지에 담아 냉동실에 둔다.

**참취**

**고르기** 봄철에 나는 참취가 맛과 향이 좋다. 부드럽고 연한 초록색을 띠는 것이 뻣뻣하지 않다.

**손질하기** 줄기 끝의 억센 부분을 잘라 낸 다음 물에 담가 아린 맛을 뺀다. 말린 취는 따뜻한 물에 충분히 불린 뒤 새 물을 붓고 삶는다. 줄기가 부드러워지면 찬물에 헹군다.

**보관하기** 끓는 물에 소금을 조금 넣고 데쳐 찬물에 헹군다. 물기를 살짝 짜서 냉동 보관한다.

**콩나물**

**고르기** 너무 통통한 것보다 적당히 잔뿌리가 있는 것이 좋다. 뿌리 끝이 누렇게 변했거나 머리가 부서진 것은 오래된 것이니 피한다.

**손질하기** 깍지를 벗겨내고 잔뿌리를 다듬은 뒤 물에 여러 번 헹군다. 용도에 따라 머리와 꼬리를 떼고 줄기만 쓰기도 한다.

**보관하기** 깨끗이 씻어 밀폐용기에 담고 물을 부어 두면 오래도록 싱싱하게 보관할 수 있다. 삶은 뒤 물기를 빼서 냉장 보관하는 것도 좋다.

**고사리**

**고르기** 줄기가 작고 가늘며, 옅은 갈색을 띠고 털이 적게 나 있는 것이 좋다. 향이 진하고 부드러운 것을 고른다.

**손질하기** 줄기 끝의 억센 부분을 잘라내고 부드러운 부분만 남긴다. 옅은 소금물에 담가 두었다가 헹궈 삶는다.

**보관하기** 금방 먹을 것은 젖은 종이에 싸 두거나 데쳐서 물에 담아 냉장실에 넣어 둔다. 오래 두고 먹으려면 살짝 데쳐 물기를 짠 뒤 지퍼 백에 담아 냉동 보관한다.

달 래 **고르기** 알뿌리가 큰 것이 맛과 향이 좋지만 너무 커도 맛이 덜하다. 뿌리가 깨끗하고 둥글며 줄기가 싱싱한 것을 고른다.
**손질하기** 뿌리를 감싸고 있는 껍질을 한 겹 벗겨 내고 흐르는 물에 꼼꼼히 씻는다. 뿌리를 칼 옆면으로 살짝 누르면 매운 맛이 덜하다.
**보관하기** 물을 뿌리고 신문지에 싸서 냉장실에 둔다.

돌나물 **고르기** 손을 탈수록 풋내가 심해지므로 풋내가 덜 나고 검은 잡티가 없는 것을 고른다.
**손질하기** 풋내가 많이 나므로 싱싱한 것을 골라서 깨끗하게 다듬은 뒤 소금물에 씻어 풋내를 없앤다. 잎이 으깨지지 않도록 조심한다.
**보관하기** 깨끗이 씻어 종이타월로 물기를 닦은 뒤 랩에 싸서 냉장실에 둔다.

쑥 갓 **고르기** 잎이 진한 녹색이고 윤기가 나는 것이 좋다. 줄기를 꺾어 보아 잘 부러지는 것이 싱싱하다.
**손질하기** 굵은 뿌리는 잘라내고 잎을 다듬어 흐르는 물에 씻는다. 끓는 물에 굵은 줄기부터 넣어 잠깐 데쳐서 찬물에 재빨리 헹군다.
**보관하기** 신문지에 싸서 분무기로 물을 뿌려 냉장실에 둔다. 소금물에 살짝 데쳐 냉동 보관하면 오래 둘 수 있다.

참나물 **고르기** 여리고 줄기가 가는 것이 맛있다. 줄기가 억세지 않은 것을 고른다.
**손질하기** 억센 부분을 떼고 씻는다. 끓는 물에 소금을 넣고 살짝 데쳐 찬물에 헹군다.
**보관하기** 물기가 생기지 않도록 종이타월에 감싸서 비닐봉지에 담아 냉장실에 둔다.

시금치 **고르기** 색깔이 짙고 크기가 고른 것으로 마르지 않고 싱싱한 것을 고른다. 잎이 선명한 녹색을 띠며 윤기 있는 것이 좋다.
**손질하기** 흙을 털고 밑동을 잘라 낸 뒤 누런 잎을 떼고 굵은 것은 반 갈라 씻는다. 끓는 물에 소금을 넣고 뿌리 쪽부터 넣어 뚜껑을 연 채 데친다.
**보관하기** 물에 씻지 말고 다듬기만 해 신문지에 싸서 냉장실에 둔다. 분무기로 물을 뿌려 두면 더 오래 간다.

## 말린 나물 손질법과 보관법

●●● **손질은…**
따뜻한 물에 담가 하룻밤 정도 충분히 불린 뒤 푹 삶아 여러 번 헹군다. 시래기와 토란대 등 잡냄새가 많이 나는 채소는 다시 물에 담가 냄새를 우려낸다. 무말랭이, 호박고지 등의 연한 채소는 삶으면 뭉그러지므로 미지근한 물에 30분 정도 부드럽게 불려서 여러 번 헹궈 물기를 짠다.

●●● **보관은…**
말린 나물은 부서지기 쉬우므로 먼지가 끼지 않도록 비닐봉지에 담아 눌리지 않게 둔다. 습기가 많으면 곰팡이가 생기니 서늘하고 바람이 잘 통하는 곳에 둔다. 불린 나물은 물기가 있는 상태로 한 번 먹을 양씩 나눠 지퍼 백에 펼쳐 담아 냉동 보관한다. 물기를 꼭 짜서 두면 질겨진다.

# 맛과 영양을 높이는 요리 비법

아삭한 생나물에서 구수한 묵은 나물까지 나물은 다양한 만큼 맛내기도 쉽지 않아요. 재료에 따라, 조리법에 따라
달라지는 나물 맛내기, 몇 가지만 기억하면 깔끔하고 깊은 맛을 낼 수 있어요.

## 생나물

### 깨끗이 씻어요
조리하지 않고 생으로 먹는 음식이기 때문에 깨
끗하게 다듬는 일이 무엇보다 중요하다. 깔끔하
게 다듬어 흐르는 물에 여러 번 씻는다.

### 양념 넣는 순서를 지켜요
초무침은 설탕과 식초를 먼저 넣어 무친 다음
에 고춧가루, 간장 순으로 넣는다. 간장이나 소
금을 먼저 넣으면 다른 양념이 잘 배지 않는다.
무생채는 먼저 고춧가루만 넣고 버무려 고춧
물을 들인 뒤에 다른 양념을 넣어야 색이 곱다.
초고추장무침은 한꺼번에 넣고 섞어도 된다.

### 물기를 빼요
나물의 물기를 탈탈 털어 무친다. 물기가 많으
면 음식이 지저분하고 맛이 없다. 오이, 무 등 단
단한 채소는 소금에 살짝 절였다가 물기를 꼭 짜
서 무쳐야 물이 생기지 않고 간도 잘 밴다.

### 먹기 직전에 무쳐요
양념장을 미리 만들어 두었다가 상
에 내기 바로 전에 무친다. 미리 무
쳐 두면 물이 생겨 양념이 겉돌고
싱거워진다.

## 무침나물

### 재료의 맛을 살려요
양념을 강하지 않게 해 재료의 맛과 향을 살린
다. 너무 짜거나 달면 숙채의 제 맛을 낼 수 없
다. 살짝 데쳐 담백하게 양념해 골고루 배어들
도록 무친다.

### 뿌리부터 데쳐요
시금치, 쑥갓 등 잎채소는 끓는 물에 넣었다 꺼
내는 정도로 살짝 데치고, 밑동이나 뿌리가 있
는 나물은 단단한 부분부터 넣어 데친다. 줄기
가 억센 나물은 억센 부분을 잘라 내고 데친다.

### 데쳐서 곧바로 찬물에 헹궈야 색이 선명해요
잎채소는 데쳐서 그대로 두면 열이 남아 있어
잎이 물러지고 색이 변한다. 데치고 나서 곧바
로 찬물에 헹군다. 하지만 너무 많이 헹구면
맛이 떨어지므로 한두 번 정도만 헹군다.

### 물기를 꼭 짜지 마세요
나물을 데쳐 물기를 짤 때 80% 정도만 짜는 것
이 좋다. 너무 꼭 짜면 부드럽지 않고 간도 잘 배
지 않는다.
콩나물, 숙주, 가지 등은 물기를 짜지 않고 삶아
건져 놓았다가 식으면 그대로 무친다.

### 계절 나물은 된장이나 고추장이 어울려요
두릅, 냉이 등의 계절 나물을 된장이나 고추장
에 무치면 칼칼하고 구수한 맛이 좋다. 씀바귀
같이 쌉쌀하고 향이 강한 나물은 초고추장에 무
치면 쓴맛이 줄어든다.

## 볶음나물

### 미리 양념해서 볶아요
볶으면서 바로 양념하면 잘 배지 않아 깊은 맛이 나지 않는다. 데치거나 삶아서 물기를 짠 뒤 양념에 조물조물 무쳐서 볶아야 간이 잘 배어 맛있다.

### 말린 나물은 충분히 불려요
시래기, 토란대, 고사리 등의 말린 나물은 충분히 우려야 냄새가 나지 않는다. 따뜻한 물에 불려서 부드러워질 때까지 푹 삶은 뒤 다시 한 번 물에 담가 두어 우린다.

### 물기가 남아 있어야 부드러워요
나물을 데치거나 삶은 뒤 꽉 짜지 않는다. 물기가 어느 정도 있어야 부드럽게 볶아진다. 시래기나 토란대처럼 질긴 나물은 삶아서 얇은 껍질을 벗겨내야 부드럽다.

### 국간장으로 간해요
국간장으로 간을 하면 감칠맛이 난다. 국간장은 짜기 때문에 많이 넣지 않도록 주의하고, 색이 너무 진해질 경우에는 소금과 섞어 쓴다. 들기름도 볶음 나물과 잘 어울린다.

### 말린 나물은 물을 부어 푹 익혀요
말린 나물은 무르게 익혀야 맛있다. 양념한 나물을 볶다가 냄비 가장자리로 물을 조금 돌려 붓고 뚜껑을 덮어 뜸을 들인다. 나물이 익으면 뚜껑을 열고 불을 약하게 줄여 바특하게 익힌다.

# 자주 쓰는 나물 양념

### 된장 양념
된장 2큰술, 국간장 2작은술, 다진 파 · 다진 마늘 1큰술씩, 참기름 · 깨소금 1큰술씩
**어울리는 나물** | 냉이무침, 우거지된장무침, 근대무침, 곤드레나물, 시래기나물 등에 쓰면 좋다. 구수하고 깊은 맛이 난다.

### 고추장 양념
고추장 2큰술, 식초 2큰술, 설탕 2작은술, 다진 마늘 1큰술, 참기름 · 깨소금 1큰술씩
**어울리는 나물** | 씀바귀, 방풍 등 쌉쌀하거나 향이 강한 나물과 어울린다. 새콤달콤한 맛이 입맛을 돋운다.

### 국간장 양념
국간장 2큰술, 다진 파 1/2큰술, 다진 마늘 2작은술, 참기름 · 깨소금 1큰술씩
**어울리는 나물** | 취나물, 고사리, 토란대, 고구마 줄기 등을 볶을 때 쓴다. 색이 연하고 단맛이 적은 국간장으로 맛을 내 재료의 맛이 살면서 은근한 감칠맛이 난다.

### 소금 양념
다진 파 · 다진 마늘 2작은술씩, 참기름 · 깨소금 1큰술씩, 소금 적당량
**어울리는 나물** | 콩나물, 숙주, 시금치 등을 무치거나 도라지, 오이 등을 볶으면 고소하고 깔끔한 맛이 난다. 미리 만들어 둘 필요 없이 바로바로 넣어 무치거나 볶는다.

# Part 1 생나물

## 생으로 무쳐서 싱그럽게~

땅에서 가져다가 바로 무쳐 먹는 생나물은 영양이 그대로 살아 있는 것이 특징이다. 풋풋한 향기와 아삭아삭한 맛은 입맛을 돋우고 기분까지 산뜻하게 만든다. 새콤달콤한 초무침부터 싱싱한 겉절이까지 다양한 생나물로 밥상이 산과 들이 된다.

# 참나물

참나물은 대표적인 알칼리성 식품으로 봄철 입맛이 없을 때 특별한 향으로 입맛을 돋우는 건강 나물이에요.
잎이 부드럽고 소화가 잘 되며 식이섬유가 많아 변비에도 좋아요.

**들어가는 재료**

참나물 400g, 오이 1/4개

**무침 양념** 고춧가루 1½큰술, 다진 파 3큰술, 다진 마늘 1큰술, 설탕·멸치액젓·들깨가루 1큰술씩, 소금·참기름 조금씩

1 **참나물 다듬기** 참나물을 깨끗이 씻어 짧게 썬다.

2 **오이 썰기** 오이를 반 갈라 어슷하게 썬다.

3 **양념에 무치기** 무침 양념 재료를 모두 섞어 참나물과 오이에 넣고 골고루 버무린다.

· · · 참나물은 짙은 초록색을 띠는 것이 좋아요. 벌레 먹거나 시든 잎이 없는 것을 고르세요. 남은 것은 분무기로 물을 뿌리고 신문지나 종이
타월로 감싸서 냉장고에 넣어 두세요. 신선함을 오래 유지할 수 있어요.

 **영양 이야기** 치매 예방에 도움이 돼요

참나물은 철분이 풍부하게 들어 있어 빈혈을 막고, 뇌의 활동을 활성화시켜 치매 예방에
도움이 돼요. 잎이 부드러워 소화가 잘 되고, 식이섬유가 많아 변비에도 도움이 됩니다.

# 도라지오이생채

아작아작 씹히는 도라지에 상큼한 오이를 섞어 고추장 양념으로 버무렸어요.
새콤달콤한 맛이 나서 봄철 입맛 돋우는 데 그만이에요.

**들어가는 재료**
도라지 200g, 오이 1/2개, 소금 2큰술
**무침 양념** 고추장·고춧가루 1큰술씩, 설탕·식초 1큰술씩, 다진 파 1큰술, 다진 마늘 1작은술, 깨소금 1작은술

1 **도라지 다듬기** 도라지를 가늘게 가르고 긴 것은 적당히 썬다. 소금을 뿌리고 주무른 뒤 물에 충분히 헹궈 쓴맛을 뺀다.

2 **오이 절이기** 오이를 반 갈라 어슷하게 썰어 소금에 절인 뒤 물기를 가볍게 짠다.

3 **양념에 무치기** 무침 양념 재료를 모두 섞어 도라지와 오이에 넣고 조물조물 무친다.

··· 도라지를 소금으로 주물러 씻은 뒤 바로 헹구지 않고 10분 정도 담가 두었다가 무쳐도 좋아요. 쓴맛이 없어지면서 간도 뱁니다.

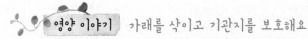 **영양 이야기** 가래를 삭이고 기관지를 보호해요
도라지는 식이섬유와 칼슘, 철분이 많은 알칼리성 식품으로 가래를 삭이고 콜레스테롤을 낮추며 폐와 기관지 건강에 아주 좋아요. 또한 사포닌이 풍부해 면역력을 강화시켜요.

# 달래무침

매콤하면서 상큼한 향이 좋은 달래에 새콤달콤한 양념장을 끼얹어 내면 온가족의 입맛을 살리는 특별한 반찬이 돼요.
먹고 남은 달래무침은 송송 썰어 달래장을 만들어도 좋아요.

**들어가는 재료**
달래 400g, 참기름 조금
**무침 양념** 간장·고춧가루 2큰술씩, 설탕 1큰술, 식초 1큰술, 다진 마늘 1큰술, 소금·깨소금 조금씩

1 **달래 다듬기** 달래는 껍질과 뿌리를 깨끗이 다듬은 뒤 물에 흔들어 씻어 건진다.

2 **달래 썰기** 씻은 달래를 5~6cm 길이로 썬다.

3 **양념에 무치기** 달래에 무침 양념 재료를 모두 넣고 골고루 무친다. 상에 내기 직전에 참기름을 조금 넣고
버무린다.

· · · 달래는 뿌리째 먹기 때문에 뿌리 부분을 꼼꼼히 씻어야 해요. 뿌리를 물에 잠시 담가서 흔들어 씻으면 흙이 남지 않고 잘 씻겨요.

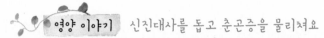 **영양 이야기** 신진대사를 돕고 춘곤증을 물리쳐요

달래는 비타민 C와 철분이 풍부해서 신진대사를 도와 춘곤증을 이기는 데 아주 효과적
이에요. 또한 달래의 알리신 성분은 항산화 기능과 항암 효과가 뛰어나 우리 몸의 면역
기능을 높이고 저항 기능을 키워줘요.

# 돌미나리무침

돌미나리는 보통의 미나리보다 가늘고 짧으며 마디가 없는 게 특징이에요. 연하고 부드러워서 무쳐 먹기 좋은데 오이와 함께 버무리면 상큼하고 향긋해요.

**들어가는 재료**
미나리 200g, 오이·양파 1/4개씩, 풋고추·붉은 고추 1/2개씩, 쪽파 1뿌리
**무침 양념** 고춧가루 2큰술, 간장 1½큰술, 설탕 1/2작은술, 다진 마늘 1/2작은술, 소금·참기름·통깨 조금씩

1 **미나리 썰기**   미나리를 흐르는 물에 깨끗이 씻어 물기를 빼고 5~6cm 길이로 썬다.

2 **오이·고추 썰기**   오이는 반 갈라 어슷하게 썰고, 풋고추와 붉은 고추는 통으로 어슷하게 썬다.

3 **양파·쪽파 썰기**   양파는 껍질을 벗겨 2~3cm 길이로 채 썰고, 쪽파도 다듬어서 같은 길이로 썬다.

4 **양념에 무치기**   준비한 미나리와 채소를 한데 담고 무침 양념 재료를 모두 넣어 골고루 버무린다.

• • • 돌미나리는 손질할 게 거의 없어요. 흐르는 물에 담가 두세 번 흔들어 씻은 뒤 물기를 빼서 양념하면 싱싱한 맛을 즐길 수 있어요.

 **영양 이야기**   혈액순환을 돕고 숙취 해소에 좋아요

돌미나리는 비타민 $A \cdot B_1 \cdot B_2$ 등이 들어 있어요. 항암 효과와 항바이러스 작용이 있고, 알코올 해독 능력이 뛰어나 숙취를 푸는 데도 도움이 됩니다. 기관지와 폐 등 호흡기관을 보호하는 효능이 있어 황사가 찾아오는 봄철에 먹으면 좋아요. 독특한 향이 식욕을 돋우고 혈액순환을 좋게 합니다.

# 무생채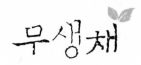

아삭아삭한 무를 매콤하고 새콤달콤한 양념으로 버무렸어요. 무의 시원함과 깨소금의 고소함이 어우러져
입에 착 감겨요. 무 하나만 있으면 누구나 쉽게 만들 수 있어요.

**들어가는 재료**
무 400g, 고운 고춧가루 2큰술, 식초 조금
**무침 양념** 멸치액젓 2큰술, 설탕 2작은술, 식초 1큰술, 다진 파 1큰술, 다진 마늘 1작은술, 생강즙 1/3작은술, 깨소금 2작은술, 소금 조금

1 **무 썰기** 무는 껍질을 벗기고 얄팍하게 저며 썬 뒤 다시 곱게 채 썬다.

2 **고춧가루에 버무리기** 무채에 고운 고춧가루를 넣고 고루 버무려 고춧물을 들인다.

3 **양념 만들기** 멸치액젓과 식초·설탕·소금을 섞은 다음 다진 파·다진 마늘·깨소금·생강즙을 넣고 고루
섞어 무침 양념을 만든다.

4 **양념에 버무리기** 무채에 무침 양념을 넣고 맛이 배도록 버무린다. 먹기 직전에 식초를 넣어 살짝 버무린다.

••• 식초는 음식이 물러지는 것을 막는 효과가 있어요. 무생채를 양념에 버무린 뒤 마지막에 식초를 넣어 버무리세요. 무가 물러지지 않고
아삭한 맛이 살아나요.

**영양 이야기** 소화 흡수를 도와요

무는 수분과 비타민 A·B·C가 풍부하고 디아스타제라는 효소가 있어 소화 흡수를 도와요.
무의 식이섬유는 장 속의 노폐물을 배출시켜 대장암을 예방하지요. 속이 쓰릴 때, 기침이나
목이 아플 때, 열이 날 때도 효과가 있고 숙취 해소에도 도움이 됩니다.

# 돌나물

풋풋한 봄기운이 듬뿍 느껴지는 돌나물을 간장 양념과 고추장 양념으로 버무렸어요.
고추장 양념에 사과를 넣고 함께 무치면 상큼한 맛이 더해져서 좋아요.

### 고추장무침

**들어가는 재료**
돌나물 300g, 사과 1/2개,
붉은 고추 1/3개, 참기름 1큰술
**고추장 양념** 고추장 1½큰술,
설탕 1/2큰술, 식초 1큰술,
다진 마늘·생강즙 1작은술씩,
검은깨 1작은술

1 **돌나물 다듬기** 돌나물을 손질해서 흐르는 물에
   살살 씻은 뒤 물기를 뺀다.

2 **사과·고추 썰기** 사과는 깨끗이 씻어 채 썰고
   붉은 고추는 송송 썬다.

3 **양념장에 무치기** 무침 양념 재료를 섞어 돌나
   물과 사과에 넣고 가볍게 무친다. 먹기 직전에
   참기름을 넣어 살짝 버무린다.

### 간장무침

**들어가는 재료**
돌나물 300g, 참기름 1큰술
**간장 양념** 고춧가루 1½큰술,
멸치액젓·설탕·식초 1큰술씩,
다진 파 1큰술,
간장·다진 마늘 1/2큰술씩,
생강즙·소금 1작은술씩

1 **돌나물 다듬기** 돌나물을 손질해서 흐르는 물에
   살살 씻은 뒤 물기를 뺀다.

2 **양념장에 무치기** 무침 양념 재료를 고루 섞어
   돌나물에 넣고 가볍게 무친다.

3 **참기름으로 맛내기** 먹기 직전에 참기름을 넣고
   살짝 버무린다.

• • • 생으로 무치는 나물 양념에는 들기름을 넣지 마세요. 묵은 나물에 들기름을 넣으면 구수한 맛이 좋지만, 신선한 봄나물에 들기름을 넣으면
상큼함이 사라집니다.

 **영양 이야기** 칼슘이 풍부해 골다공증을 예방해요

돌나물은 칼슘이 우유의 2배나 많아 골다공증 예방에 좋아요 여성호르몬인 에스트로겐 대체 물질이 들어 있어
갱년기 우울증에 특히 좋지요. 소염, 살균, 해독 등의 효능이 있어 감염성 염증과 급성기관지염에 효과를 발휘해요.

# 더덕무침

쌉쌀한 맛이 일품인 더덕을 결대로 찢어 식초, 참기름, 고추장 양념에 버무린 생채예요.
더덕을 방망이로 두들기면 쉽게 찢을 수 있어요.

**들어가는 재료**
더덕 200g
**고추장 양념** 고추장·국간장 1큰술씩, 고춧가루 1/2큰술, 식초·참기름 1큰술씩, 물엿 1/2큰술, 다진 파 1큰술, 다진 마늘 1/2작은술

1 **더덕 손질하기** 더덕은 껍질을 벗기고 반 갈라 방망이로 두드려 부드럽고 납작하게 편 다음, 찬물에 담가 쓴맛을 빼내고 물기를 닦는다.

2 **더덕 찢기** 손질한 더덕을 손으로 찢는다.

3 **양념 만들기** 고추장 양념 재료를 고루 섞는다.

4 **양념에 무치기** 찢은 더덕에 고추장 양념을 넣고 고루 무친다.

··· 더덕을 너무 약하게 두들기면 부드럽지 않고 너무 세게 두들기면 뚝뚝 끊어져 버려요. 힘을 잘 조절하는 게 맛있게 만드는 비결이에요.

 **영양 이야기** 기침과 가래를 가라앉혀요

더덕에는 사포닌, 이눌린, 칼륨, 칼슘, 비타민 B 등이 풍부해요. 사포닌은 기침을 멎게 하고 가래를 가라앉히는 데에 효과가 있어 편도선염, 인후염, 기관지염 같은 호흡기 질환에 좋아요. 몸이 허약하고 추위를 잘 타는 사람에게 좋고, 강장제로도 쓰여요.

# 부추겉절이

부추는 피를 맑게 하는 식품으로 알려져 있어요.
독특한 향미가 물씬 풍기는 부추로 나물을 무쳐
먹으면 혈액순환이 좋아지고 스태미나가 살아나요.

**들어가는 재료**
부추 200g, 통깨 조금
**겉절이 양념** 고춧가루 1큰술, 간장·멸치액젓 1큰술씩,
참기름 1/2큰술, 깨소금 1큰술

1 **부추 다듬기** 가늘고 부드러운 부추를 골라 누런 잎과 지저분한 껍질을 벗기고 물에 깨끗이 헹궈 물기를 **뺀다.**

2 **부추썰기** 부추는 5cm 길이로 썬다.

3 **양념에 버무리기** 그릇에 부추를 담고 겉절이 양념을 넣어 고루 버무린다.

4 **통깨 뿌리기** 그릇에 부추겉절이를 담고 통깨를 솔솔 뿌린다.

3

 **영양 이야기** 신진대사를 활발하게 해요

부추는 따뜻한 성질을 가진 대표 채소로 신진대사를 활발하게 해요.
비타민 A와 비타민 B군이 풍부하고 단백질도 많지요. 감기를 예방
하고, 강한 항균 작용이 있어 위장을 깨끗하게 만들어요. 특유의 향이
고기나 생선의 냄새를 없애기 때문에 함께 먹으면 좋아요.

# 상추겉절이

상추를 겉절이 양념에 버무려 먹으면 쌉쌀한 맛이
식욕을 돋워요. 상추는 오래 두기 힘든 채소라서
쌈으로 먹고 남은 걸로 겉절이를 만들면 좋아요.

**들어가는 재료**
상추 300g, 양파 1/3개
**양념장** 간장 3큰술, 고춧가루 2큰술, 설탕 1큰술, 식초 2큰술,
물 1큰술, 참기름·깨소금 조금씩

1 **상추 준비하기** 상추를 깨끗이 다듬어 씻은 뒤 한 입 크기로 찢어 찬물에 담가 놓는다.

2 **양파 썰기** 양파는 채 썬 뒤 물에 헹궈 매운맛을 뺀다.

3 **양념장 만들기** 양념장 재료를 모두 섞는다.

4 **양념장 끼얹기** 상추와 양파를 건져 물기를 턴 뒤 그릇에 담고 양념장을 끼얹는다.

4

 고기와 함께 먹으면 맛과 영양을 보충해요

상추는 비타민과 미네랄이 풍부해서 고기와 함께 먹으면 맛과 영양을
보충해요. 필수 아미노산이 풍부해 피로 해소에 좋고, 진통과 진정
효과가 있어 잠이 잘 오게 하지요. 빈혈과 골다공증 예방에도 효과가
있어 여성에게 좋은 식품이에요.

# 봄동겉절이

어리고 연한 배추인 봄동은 아삭아삭하고 향이
진해요. 초봄에 나는 싱싱한 봄동을 겉절이 양념에
버무리고 참기름으로 맛을 내면 입맛이 살아나요.

**들어가는 재료**
봄동 200g, 풋마늘대 6대, 통깨 조금, 소금 적당량
**겉절이 양념** 고춧가루 2큰술, 설탕 1큰술, 양파즙 1/2큰술,
다진 마늘 1큰술, 식초 1작은술, 소금·참기름 조금씩

1 **봄동 절이기** 봄동은 잎을 떼어 씻은 후 소금을 조금 뿌려 숨이 죽을 만큼 절인다. 절여지면 물기를 뺀다.

2 **풋마늘대 썰기** 풋마늘대는 연한 부분을 골라 4cm 정도 길이로 썬다.

3 **양념 만들기** 겉절이 양념 재료를 분량대로 넣고 고루 섞는다.

4 **양념에 버무리기** 절인 봄동과 풋마늘대를 한데 담고 겉절이 양념을 넣어 버무린 후 통깨를 뿌린다.

· · · 봄동은 배추보다 수분이 많아 씻어서 바로 버무리면 신선한 맛이 좋아요. 먹기 직전에 무쳐야 숨이 죽지 않고 아삭해요.

3

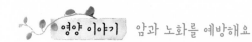 **영양 이야기** 암과 노화를 예방해요

봄철 대표 채소인 봄동은 아미노산, 칼슘, 칼륨, 인 등이 풍부해 빈혈과
동맥경화를 예방합니다. 항암 효과와 항노화 효과가 뛰어난 베타카로
틴은 배추의 30배나 많지요. 비타민이 많아 피로 해소에 좋고, 찬 성질
을 가지고 있어 몸에 열이 많은 사람에게 특히 좋아요.

# 배추겉절이

김장김치의 맛이 떨어지는 봄에 며칠 먹을 만큼씩
버무려 먹으면 좋아요. 가볍게 훌훌 버무려
생채처럼 바로 먹어야 맛있어요.

**들어가는 재료**
배추 속대 300g, 굵은 소금 3큰술, 당근·오이 1/3개씩, 실파 4뿌리,
풋고추 2개, 붉은 고추 1/2개
**겉절이 양념**  고춧가루·물 4큰술씩, 설탕 2큰술, 다진 파 3큰술,
다진 마늘·참기름·통깨·간장·소금 1큰술씩, 다진 생강 1작은술

1 **채소 준비하기**  배추 속대는 손으로 길게 찢어 소금에 절인 뒤 긴 것은 반 자른다. 당근과 오이, 고추는 어
  슷하게 썰고 실파는 4cm 길이로 썬다.

2 **양념에 버무리기**  고춧가루를 물에 잘 개고 나머지 재료를 모두 섞어 겉절이 양념을 만든 뒤 절인 배추 속
  대에 넣고 살살 버무린다.

••• 겉절이 양념이 배추와 잘 어우러지지 않을 때는 양념에 밀가루풀이나 찹쌀풀을 넣으면 좋아요. 설탕을 조금 줄이고 대신 물엿을 넣으면
윤기가 더해져 더 맛깔스럽게 보여요. 오이와 풋고추, 미나리 등을 같이 넣고 버무려도 맛있어요.

 비타민과 식이섬유가 풍부해요
배추는 국을 끓이거나 김치를 담가도 비타민 C가 잘 파괴되지 않아
비타민 공급원으로 좋아요. 식이섬유가 풍부해 배변을 도우며, 즙을
내어 마시면 머리가 맑아지고 갈증과 숙취가 풀리는 효과가 있어요.

# 오이초무침

오이와 양파를 새콤달콤하게 무쳐 먹으면 상큼해요.
하루 정도 냉장고에 두면 양념이 잘 배어 맛이
좋아져요. 오이를 절여서 살짝 짜야 아삭해요.

**들어가는 재료**
오이 1개, 양파 1/2개, 소금 조금
**무침 양념** 식초 1큰술, 소금·고춧가루 1/2큰술씩,
다진 마늘 1작은술, 설탕·깨소금 1작은술씩

1 **오이 절이기** 오이를 얇게 썰어 소금을 뿌려 30분 정도 절인 뒤 물에 살짝 헹궈 물기를 짠다.

2 **양파 채 썰기** 양파를 반 잘라 채 썬다.

3 **양념에 무치기** 오이와 양파를 한데 담고 무침 양념을 넣어 무친다.

 **영양 이야기** 열을 내리고 고혈압을 예방해요

오이는 칼로리가 낮고 엽록소와 비타민 C가 풍부해 다이어트와 피부
미용에 좋아요. 열을 내리고, 이뇨 작용이 있으며, 칼륨이 나트륨을
배출해 혈압을 낮추는 효과도 있지요. 꼭지 부분에 영양이 많으므로
많이 잘라내지 않는 것이 좋아요.

# 노각무침

완전히 자라 껍질이 누렇게 익은 오이가 노각이에요.
오이보다 수분이 많아 더 부드럽고 진한 맛을
자랑하지요. 제철인 여름에 무쳐 먹으면 시원한
맛이 더위를 식혀줍니다.

**들어가는 재료**
노각 1개, 소금 1큰술, 참기름·깨소금 조금씩
**무침 양념** 고추장 2큰술, 식초 2큰술, 설탕 1큰술,
다진 파 1큰술, 다진 마늘 1작은술

1 **노각 다듬기** 노각은 껍질을 벗기고 반 갈라 속을 파낸 뒤 길게 채 썬다.

2 **노각 절이기** 채 썬 노각에 소금을 뿌려 20~30분 정도 절인 뒤 물기를 꼭 짠다.

3 **양념에 무치기** 무침 양념을 만들어 절인 노각에 넣고 골고루 무친다. 마지막에 참기름과 깨소금을 넣고
버무린다.

• • • 노각은 끝부분이 쓰기 때문에 꼭 잘라내고 조리하세요.

 **영양 이야기** 몸속 노폐물을 배출시켜요

노각은 수분과 식이섬유가 많아 포만감을 주고 칼로리가 낮아 다이
어트에 좋아요. 노각에 풍부한 칼륨은 몸속의 노폐물을 배출시켜
피부를 좋게 하지요. 칼륨은 또 염분 배출을 돕기 때문에 고혈압을
예방하는 데도 효과가 있어요.

# 파채무침

파는 향긋한 냄새와 아삭함으로 음식의 맛과 영양을
높이는 대표 향신채소예요. 파채무침은 반찬으로는
물론 고기에 곁들여도 좋아요.

**들어가는 재료**

대파 2뿌리

**무침 양념** 고춧가루 1큰술, 소금·설탕 1작은술씩, 식초 1큰술,
참기름·깨소금 1작은술씩

1 **대파 다듬기** 대파는 껍질을 벗기고 뿌리를 자른 뒤 깨끗이 씻는다. 흰 부분과 푸른 부분을 나누어 10cm
   길이로 썬다.

2 **대파 썰기** 대파를 반 갈라 엎어놓고 길고 가늘게 채 썬다. 찬물에 30분 정도 담가 매운맛을 뺀다.

3 **양념에 무치기** 채 썬 대파를 건져 물기를 뺀 뒤 무침 양념을 넣어 무친다.

• • • 파채 칼로 파를 죽죽 빗어내려 썰면 편해요. 파채도 고르게 나옵니다.

 **영양 이야기** 냄새를 없애고 살균작용을 해요

파에는 단백질, 당질, 칼슘, 인, 철분, 나트륨, 칼륨, 비타민 A 등이 들어
있어요. 독특한 향을 내는 성분인 알리신은 고기나 생선의 냄새를
없애고 살균·살충 작용을 하지요. 몸을 따뜻하게 하고 피로와 흥분을
가라앉히며 소화를 돕고 몸을 따뜻하게 하는 효능도 있어요.

# 무말랭이무침

무말랭이를 짭짤하게 양념한 밑반찬이에요.
무를 먹기 좋게 썰어 말려 두었다가 두고두고
무쳐 먹으면 좋아요.

**들어가는 재료**
무말랭이 200g, 고춧잎 30g, 간장 1/3컵
**무침 양념** 설탕·물엿 1큰술씩, 멸치액젓 1큰술,
고춧가루 1/2큰술, 다진 마늘 1작은술, 통깨 1큰술,
참기름 1/2큰술, 실고추 조금, 물 2큰술

1 **무말랭이 씻기** 무말랭이를 물에 재빨리 씻어 건져 고들고들한 상태일 때 물기를 꼭 짠다.

2 **고춧잎 불려 짜기** 고춧잎을 물에 불려 부드럽게 한 후 꼭 짠다.

3 **간장에 담그기** 불려서 물기 짠 무말랭이에 간장을 부어 20분 정도 담갔다가 건진 후 고춧잎과 한데 담는다.

4 **양념 만들기** 무침 양념 재료를 모두 섞는다.

5 **양념에 무치기** 무말랭이와 고춧잎에 무침 양념을 넣어 힘 있게 무쳐 꼭꼭 눌러 병에 담아 둔다. 실온에 반
  나절 정도 두면 맛이 든다.

• • • 무말랭이를 너무 오랫동안 물에 불리면 단맛이 빠지고 아작아작한 맛이 없어져요. 10분 정도 불려서 물에 재빨리 씻으세요.

**영양 이야기** 비타민이 풍부하고 다이어트에 좋아요
무말랭이는 칼로리가 낮아 다이어트에 도움이 됩니다. 식이섬유가
풍부해서 변비로 고생하는 사람들에게도 효과가 있어요. 비타민이
풍부해서 예부터 추운 겨울철에 부족하기 쉬운 비타민의 공급원이었어요.

Part 2 무침나물

## 살짝 데쳐서 조물조물~

냉이무침, 시금치나물, 고사리나물 등 데쳐서 무쳐 먹는 나물은 부드
럽고 담백하다. 소금간은 물론 고추장, 된장 등 양념에 따라 여러 맛을
낼 수 있는 것도 장점이다. 깔끔하게 혹은 구수하게 무쳐 낸 숙채에는
소박한 시골밥상의 건강함이 배어 있다.

냉이고추장무침

냉이된장무침

# 냉이무침

냉이는 된장 양념에 무쳐도 맛있고, 고추장 양념에 무쳐도 맛있어요. 구수하게 또는 새콤달콤하게 입맛대로 즐겨 보세요. 끓는 물에 담갔다가 금방 꺼내듯이 데쳐야 냉이 향이 살아 있어요.

**들어가는 재료**

냉이 400g

**된장 양념**  된장 1큰술, 다진 파 1큰술, 다진 마늘 1작은술, 참기름·깨소금 1큰술씩

**고추장 양념**  고추장 2큰술, 설탕 1작은술, 식초 1큰술, 다진 파 1큰술, 다진 마늘 1작은술, 참기름·깨소금 1작은술씩

1 **냉이 다듬기**  냉이를 깨끗이 다듬어 끓는 물에 데친 뒤 찬물에 헹궈 물기를 짠다.

2 **양념 만들기**  된장 양념과 고추장 양념 재료를 각각 섞어 두 가지 양념을 만든다.

3 **양념에 무치기**  데친 냉이를 반씩 나눠 두 가지 양념으로 각각 무친다.

••• 냉이의 특별한 향을 살리는 것이 포인트예요. 양념이 너무 진하면 냉이의 향이 묻혀버리니 양념의 양에 신경 쓰세요.

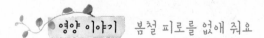 **봄철 피로를 없애 줘요**

눈이 자주 빨개지거나 봄철에 피로를 느낄 때 냉이를 먹으면 좋아요. 냉이에 들어 있는 베타카로틴이 시력을 보호하고 풍부한 비타민 $B_1$이 피로 해소에 도움을 주기 때문이지요. 또한 철분, 칼슘 등 냉이에 풍부한 미네랄은 끓여도 파괴되지 않아서 국, 찌개, 무침 등 다양하게 조리할 수 있어요.

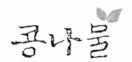

# 콩나물

콩나물은 고소하고 씹는 맛이 좋아요. 고춧가루를 넣어 칼칼하게 무치면 입맛을 살려 줍니다.
흔한 재료로 쉽게 만들 수 있어 자주 먹는 나물이에요.

**들어가는 재료**
콩나물 400g, 소금 1/2큰술, 물 1/4컵
**무침 양념** 국간장 1큰술, 고춧가루 1/2큰술, 다진 파 1큰술, 다진 마늘 1작은술, 참기름·깨소금 1큰술씩

1 **콩나물 다듬기**  콩나물을 지저분한 꼬리와 껍질을 떼고 물에 여러 번 흔들어 씻어 건진다.

2 **소금간해 삶기**  냄비에 콩나물을 안치고 소금을 골고루 뿌린 뒤 물을 자작하게 부어 뚜껑을 덮고 삶는다.

3 **양념에 무치기**  콩나물에 무침 양념을 모두 넣고 고루 무친다.

··· 콩나물은 햇빛을 보면 색이 변해요. 남은 것은 검은 봉지에 담아서 보관해야 신선함을 좀 더 오래 유지할 수 있어요.

**영양 이야기**  숙취와 피로를 풀어 줘요
콩나물은 단백질과 지방이 풍부하고 비타민 $B_1$과 비타민 $B_2$, 사포닌 등의 미네랄도 들어
있어서 간 기능을 높이고 피부도 좋아지게 해요. 또한 콩나물의 아스파라긴산은 숙취 해소와
피로 해소에 으뜸이에요.

# 숙주나물

명절상이나 잔칫상에 빠지지 않고 올라가는 숙주나물은 담백하면서도 아삭하고 부드러운 맛이 좋지요.
상하기 쉬우니 빨리 먹는 것이 좋아요.

**들어가는 재료**
숙주 300g
**무침 양념** 국간장 2큰술, 다진 파 1큰술, 다진 마늘 1작은술, 참기름 1큰술, 깨소금 1/2큰술, 소금·후춧가루조금씩

**1 숙주 데치기** 숙주는 껍질을 골라내고 깨끗이 씻는다. 물을 부어 뚜껑을 덮고 데쳐 건진다.

**2 양념 만들기** 무침 양념 재료를 모두 섞는다.

**3 양념에 무치기** 데친 숙주에 무침 양념을 넣고 고루 버무린다.

· · · 숙주도 콩나물과 마찬가지로 데칠 때 뚜껑을 열면 비린내가 나요. 뚜껑을 덮고 익히세요.

**영양 이야기** 해독 작용으로 중금속 중독을 막아 줘요

숙주에는 독소를 해독하는 비타민 B가 가지의 10배, 우유의 24배나 들어 있어요. 몸속에
있는 카드뮴을 배출해 중금속 중독을 막지요. 이뇨 작용도 뛰어나 유해물질을 배출하는 데
도움이 돼요. 열을 내리고 갈증을 푸는 데도 좋습니다.

# 참취나물

이름에 '참' 자가 들어가는 것들은 모두 사람에게 이롭다고 해요. 몸에 좋고 맛도 좋은 참취나물,
밥상에 자주 올리면 건강해져요.

**들어가는 재료**
참취 400g, 소금·통깨 조금씩
**무침 양념** 국간장 1½큰술, 다진 파·다진 마늘 2작은술씩, 참기름 1큰술, 깨소금 1/2큰술, 소금 조금

1 **참취 삶아 불리기** 참취를 씻어 가지런히 모아 억센 줄기를 잘라낸 뒤 끓는 물에 소금을 넣고 데친다.

2 **물기 짜서 썰기** 데친 참취를 찬물에 헹궈 물기를 꼭 짜서 2~3등분한다.

3 **양념에 무치기** 참취에 무침 양념을 넣어 조물조물 무친 뒤 통깨를 뿌린다.

··· 참취는 쌈으로 먹어도 맛있고 전을 부치거나 국, 찌개에 넣어도 잘 어울려요.

**영양 이야기** 간질환을 개선하고 기침을 가라앉혀요

산나물의 대명사인 참취는 당분, 단백질, 미네랄, 비타민 등이 가득한 영양 창고예요. 만성
간염 등의 간질환을 개선하고 기침, 가래를 가라앉히는 데 효과가 있지요. 원기를 회복시켜
활력을 주고, 혈액순환도 원활하게 합니다.

# 얼갈이된장무침

작고 연한 봄배추 얼갈이를 살짝 데쳐 된장에
조물조물 무치면 봄 반찬으로 그만이에요. 풋풋한
향과 아삭아삭하게 씹히는 맛이 입맛을 돋워요.

**들어가는 재료**

얼갈이 300g, 소금 조금

**무침 양념** 된장 1큰술, 고추장 1작은술,

설탕 1작은술, 다진 파·다진 마늘 1작은술씩,

참기름·깨소금 조금씩

1 **얼갈이 데치기** 얼갈이를 깨끗이 씻어 끓는 물에 소금을 넣고 살짝 데친다.

2 **물기 짜서 썰기** 데친 얼갈이를 찬물에 헹궈 물기를 짜서 먹기 좋게 썬다.

3 **양념에 무치기** 데친 얼갈이에 무침 양념을 넣고 조물조물 무친다.

 영양 이야기 감기를 예방하고 위에 좋아요

얼갈이는 미네랄이 풍부한 알칼리성 식품이에요. 비타민 C가 많이 들
어 있어 감기 예방에 효과가 있고, 풍부한 식이섬유는 변비 해소를 도
와요. 아미노산이 많아 위장에 좋으며, 술을 마신 뒤 먹으면 속을 달래
줍니다.

# 우거지된장무침

구수하고 영양이 풍부한 우거지된장무침은 시골밥 상의 대표 반찬이에요. 양념이 속까지 배도록 조물 조물 무쳐야 제 맛이 납니다.

**들어가는 재료**

우거지 300g

**무침 양념** 된장 2큰술, 다진 파 1큰술, 다진 마늘 1작은술, 맛술·참기름 1작은술씩, 깨소금·소금 조금씩

1 **우거지 데치기** 우거지를 끓는 물에 데쳐 찬물에 헹군다.

2 **물기 짜서 썰기** 데친 우거지를 물기를 짜서 5cm 정도로 썬다.

3 **양념에 무치기** 데친 우거지에 무침 양념을 넣고 조물조물 무친다.

**영양 이야기** 식이섬유가 풍부하고 콜레스테롤을 낮춰요

식이섬유 덩어리인 우거지는 변비를 치료하고, 변비로 생길 수 있는 직장암이나 담석증 등을 예방하는 데 효과가 있어요. 당뇨병 환자의 혈당치를 안정시키고 콜레스테롤 수치를 낮추는 데도 큰 역할을 합니다. 비타민 C가 풍부해 감기 예방에 좋아요.

# 두릅무침

봄철 별미인 두릅을 살짝 데쳐서 초고추장으로
무쳤어요. 쌉쌀한 맛과 향이 나는 두릅이
새콤달콤한 양념과 어우러져 입맛을 돋워요.

**들어가는 재료**

두릅 10개, 소금 1작은술

**무침 양념** 고추장 1큰술, 고춧가루·설탕·식초 1/2큰술씩,
다진 마늘 1작은술, 참기름 1작은술, 통깨·소금 조금씩

1 **두릅 데치기**  두릅을 다듬어 씻어 끓는 물에 소금을 넣고 데친 뒤 찬물에 헹군다.

2 **물기 짜서 가르기**  데친 두릅을 물기를 짜서 두 쪽 또는 네 쪽으로 가른다.

3 **양념에 무치기**  데친 두릅에 무침 양념을 섞어 넣어 골고루 무친다.

• • •  간은 소금으로 조절하세요. 싱겁다고 고추장을 자꾸 넣으면 텁텁해져서 맛이 없어요.

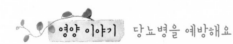 영양 이야기  당뇨병을 예방해요

채소로는 드물게 단백질이 많고 비타민 C, 미네랄, 식이섬유 등이
풍부해요. 위장병 치료에 도움이 되고, 혈당치를 낮춰 당뇨병 환자에
게도 좋아요. 불안하고 초조한 마음을 안정시키는 효과도 있어요.

# 방풍나물

쌉쌀한 방풍과 새콤한 초고추장이 어우러진
나물 반찬이에요. 바닷가에서 자라는 방풍은
해산물과도 궁합이 잘 맞아요.

**들어가는 재료**
방풍 300g, 소금 조금
**무침 양념** 고추장 2큰술, 고춧가루·설탕 1큰술씩, 식초 2큰술,
다진 마늘 1/2큰술, 통깨 1큰술, 소금 조금

1 **방풍 데치기**  방풍을 깨끗이 씻어 끓는 물에 소금을 넣고 1분 정도 데친다. 찬물에 헹궈 물기를 꼭 짠다.

2 **양념 만들기**  무침 양념 재료를 모두 섞는다.

3 **양념에 무치기**  방풍나물에 무침 양념을 넣고 양념이 고루 배도록 무친다.

 **영양 이야기**  중풍을 막고 호흡기를 보호해요

방풍은 중풍을 막고 치료하는 데 효과가 있어요. 호흡기를 보호해 목
감기와 코감기를 낫게 하고, 황사가 있는 봄철에 먹으면 좋아요. 어지
럼증을 다스리고 두통을 가라앉히며, 마음을 안정시키는 효능도 있어
방풍의 뿌리는 우황청심환의 재료로 씁니다.

시금치고추장나물                                                    시금치간장나물

# 시금치나물

시금치는 기운을 나게 하는 채소로 밥상에 자주 올리면 좋아요. 간장 양념과 고추장 양념
두 가지로 변화 있게 만들어 보세요.

**들어가는 재료**
시금치 300g
**고추장 양념** 고추장 1큰술, 설탕 2작은술, 다진 마늘 1작은술, 참기름 1작은술, 통깨·소금 조금씩
**간장 양념** 국간장 2작은술, 다진 파 1/2큰술, 다진 마늘 1작은술, 참기름·통깨 1작은술씩, 소금 조금

1 **시금치 데치기**  시금치를 다듬어 씻어 끓는 물에 소금을 넣고 뿌리 쪽부터 넣어 데친 뒤 찬물에 헹군다.

2 **물기 짜서 썰기**  데친 시금치를 물기를 짜서 4cm 길이로 썬다.

3 **양념에 무치기**  데친 시금치를 반씩 나눠 고추장 양념과 간장 양념에 각각 무친다.

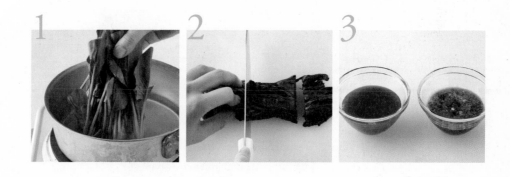

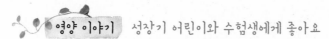 **영양 이야기**  성장기 어린이와 수험생에게 좋아요

시금치는 비타민 A가 매우 많고 비타민 B군과 C, 철분, 칼슘 등도 풍부한 대표 녹황색 채소
예요. 잎이 부드러워 소화가 잘 되고 식이섬유도 많지요. 빈혈을 예방하고 시력을 보호하는
효과도 있어 성장기 어린이나 수험생에게 특히 좋아요.

# 씀바귀나물

독특한 쓴맛의 씀바귀를 초고추장에 조물조물 무친 봄나물이에요. 씀바귀 특유의 쌉쌀한 맛이
잃었던 입맛을 되살려요. 데칠 때 식초와 설탕을 넣으면 쓴맛이 줄어들어요.

**들어가는 재료**
씀바귀 300g, 참기름 2작은술, 통깨 1작은술, 소금 조금
**무침 양념** 고추장 2큰술, 설탕 1/2작은술, 식초 1큰술, 다진 파 1큰술, 다진 마늘 2작은술

1 **씀바귀 데치기** 씀바귀를 뿌리를 다듬어 씻어 끓는 물에 소금을 넣고 살짝 데친다.

2 **물기 짜서 썰기** 데친 씀바귀를 물기를 꼭 짜서 5~6cm 길이로 썬다.

3 **양념 만들기** 무침 양념 재료를 고루 섞는다.

4 **양념장에 무치기** 씀바귀에 무침 양념을 넣고 조물조물 무친 뒤 참기름과 통깨로 맛을 낸다.

··· 씀바귀의 항산화 성분들은 열에 강해 데쳐도 쉽게 파괴되지 않아요. 하지만 비타민은 많이 파괴됩니다. 끓는 물에 소금을 넣고 재빨리
데쳐서 찬물에 담가 두면 비타민 파괴를 줄일 수 있어요.

**영양 이야기** 항산화 효과가 뛰어나요

씀바귀는 비타민, 칼슘, 철분 등이 많고 식이섬유도 풍부해요. 쓴맛을 내는 성분에는 항산화
효과가 있는 플라보노이드 등 질병 치료를 돕는 성분이 많지요. 봄철에 찾아오는 춘곤증을
물리치는 데도 도움이 됩니다.

# 근대된장무침

국으로 많이 먹는 근대를 된장 양념으로 구수하게 무쳤어요. 줄기의 껍질을 벗기고
조리해야 부드러워요.

**들어가는 재료**
근대 300g, 소금 조금
**무침 양념** 된장 2큰술, 다진 파 1큰술, 다진 마늘 1작은술, 참기름·깨소금 1작은술씩, 소금 조금

1 **근대 다듬기** 근대 줄기의 껍질을 벗기고 씻는다.

2 **데쳐서 썰기** 끓는 물에 소금을 넣고 근대를 줄기부터 넣어 데친 뒤 찬물에 헹군다. 데친 근대는 물기를 꼭
짜서 먹기 좋게 썬다.

3 **양념에 무치기** 무침 양념에 근대를 넣고 무친 뒤 참기름과 깨소금을 넣어 맛을 낸다.

 **영양 이야기** 어린이의 성장 발육을 도와요

근대는 여름 채소 중에서도 영양가가 많은 채소로 꼽혀요. 필수 아미노산, 칼슘, 철분 등이
풍부해 성장기 어린이의 발육을 촉진합니다. 비타민 A가 많아 야맹증 치료에 도움이 되고,
위장을 튼튼하게 하는 효과도 있어요.

# 잔대나물

잔대는 잎이 연하고 고소하며 향이 은은해서 나물로
무쳐먹으면 별미예요. 잎은 초록색이지만 줄기는
자줏빛을 띠며 까끌까끌해서 촉감이 특별해요.

**들어가는 재료**

잔대 400g, 소금 조금
**무침 양념** 국간장 1큰술, 다진 파 1큰술, 다진 마늘 2작은술,
참기름 1큰술, 통깨 1작은술

1 **잔대 데치기**  잔대를 흐르는 물에 깨끗이 씻어 끓는 물에 소금을 넣고 2분 정도 데친다.

2 **물기 짜기**  데친 잔대를 찬물에 헹궈 물기를 짠다.

3 **양념에 무치기**  무침 양념을 만들어 데친 잔대에 넣고 조물조물 무친다.

• • •  잔대는 잎과 뿌리를 모두 먹을 수 있어요. 잔대 뿌리를 더덕처럼 양념해 무치거나 볶아 먹어도 좋아요.

 **영양 이야기**  기혈을 보충해 여성에게 좋아요

잔대는 기혈을 보충하고 면역력을 높이는 약초로 알려져 있어요. 특히
자궁염, 생리불순, 자궁출혈 등 여성 질환에 효과가 좋아요. 잔대
뿌리는 민간 보약으로 널리 쓰였다고 합니다.

# 유채나물

유채나물은 유채꽃이 피기 전인 3~4월에 채취해
무쳐 먹는 봄나물이에요. 살짝 데쳐서 무치면
새콤달콤한 맛이 좋아요.

**들어가는 재료**

유채 300g, 소금 조금
**무침 양념** 고추장 4작은술, 고춧가루·설탕·식초 1큰술씩,
다진 마늘 1작은술, 참기름 1작은술

1 **유채 데치기** 유채를 깨끗이 씻어 끓는 물에 소금을 넣고 1분 정도 데친다.

2 **찬물에 우리기** 데친 유채를 한 번 헹궈 찬물에 5분 정도 담가둔다.

3 **물기 짜서 썰기** 유채를 건져 물기를 짜서 먹기 좋게 썬다.

4 **양념에 무치기** 유채에 무침 양념을 넣어 조물조물 무친다.

• • • 물기를 너무 꼭 짜내면 맛이 없어요. 물기를 어느 정도 남겨서 무쳐야 촉촉해요.

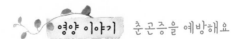 **영양 이야기** 춘곤증을 예방해요

유채는 겨울에 자라나는 식물이라 동채라고도 해요. 겨울에는 농약을
칠 필요가 없기 때문에 유기농 채소라고 할 수 있지요. 비타민 A와 C가
풍부해 봄철 춘곤증을 예방하고, 혈액순환을 도와 몸이 자주 붓는
사람에게 좋아요. 염증 치료에도 효과가 있어요.

# 비름나물

비름나물은 간장 양념이나 된장 양념에 무쳐도
맛있지만 고추장 양념으로 무치면 더 감칠맛이 나요.
어린순을 따서 볶음이나 튀김을 해도 맛있어요.

**들어가는 재료**

비름 300g, 통깨·소금 조금씩

**무침 양념** 고추장 2큰술, 다진 파 1큰술, 다진 마늘 1작은술,

참기름·소금 조금씩

1 **비름 데치기**  비름을 깨끗이 씻어 건져 끓는 물에 소금을 넣고 살짝 데쳐 찬물에 헹군다.

2 **물기 짜서 썰기**  데친 비름을 물기를 짜서 반으로 썬다.

3 **양념에 무치기**  비름에 무침 양념을 섞어 넣어 골고루 무친 뒤 통깨를 뿌린다.

 **영양 이야기**  더위를 이기게 해요

향이 좋은 비름은 열을 내리고 몸의 독소를 없애는 효과가 있어요.
몸이 허약해지기 쉬운 여름, 배탈을 막고 더위를 타지 않게 합니다.
비타민과 미네랄이 풍부해 피부를 깨끗하게 하고, 원기를 회복하는
데도 좋아요.

# 삼나물

말린 삼나물을 고추장 양념으로 매콤새콤하게
무쳤어요. 삼나물은 쫄깃하고 씹을수록 고기 맛이 나
예부터 잔치나 명절 때 상에 오르던 나물이에요.

**들어가는 재료**
말린 삼나물 50g, 소금 조금
**무침 양념** 고추장 2큰술, 국간장 1/2큰술, 설탕 1/2큰술,
식초 1큰술, 다진 파 1큰술, 다진 마늘 1/2큰술,
참기름·깨소금 1/2큰술씩

1 **삼나물 삶기** 말린 삼나물을 끓는 물에 소금을 넣고 20분 정도 삶아 찬물에 헹군다.

2 **불려서 찢기** 삶은 삼나물을 미지근한 물에 담가 하루 정도 불린 뒤 가늘게 찢는다.

3 **양념에 무치기** 무침 양념을 만들어 삼나물에 넣고 고루 무친다.

**영양 이야기** 인삼 성분인 사포닌이 풍부해요

삼나물은 알칼리성 산나물로 인삼에 들어 있는 성분인 사포닌과 단
백질이 풍부해요. 칼슘, 인, 철분, 비타민 A, 베타카로틴 등도 많아
건강에 좋아요. 편도선염이 있을 때 삼나물을 달여 마시면 효과를
볼 수 있어요.

# 미나리무침

독특한 향으로 입맛을 자극하는 미나리를 데쳐서 매콤새콤하게 무친 나물이에요.
국이나 찌개에 넣는 것보다 미나리의 향을 더 진하게 느낄 수 있어요.

**들어가는 재료**
미나리 350g, 소금 조금
**무침 양념** 고추장 2큰술, 고춧가루 1½큰술, 설탕 2작은술, 식초 2큰술, 다진 마늘 1/2큰술, 참기름·통깨 1/2큰술씩, 소금 조금

1 **미나리 데치기**  미나리를 깨끗하게 씻어 끓는 물에 소금을 넣고 살짝 데친 뒤 찬물에 헹궈 물기를 꼭 짠다.

2 **양념 만들기**  무침 양념 재료를 고루 섞는다.

3 **양념에 무치기**  데친 미나리에 무침 양념을 넣고 고루 무친다.

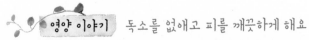 **영양 이야기**  독소를 없애고 피를 깨끗하게 해요

미나리는 독소를 없애고 피를 깨끗하게 하는 식품으로 알려져 있어요. 복어의 독을 중화
시키기 때문에 복어 요리에 많이 넣지요. 간의 해독 작용을 도와 숙취 해소에 효과가 높고
식이섬유가 풍부해 변비에도 좋아요.

# 원추리나물

원추리는 대표적인 봄나물이에요. 달착지근한 맛이 있어 새콤달콤하게 무쳐도 좋고, 국을 끓여도 맛있어요.
근심걱정을 없애 준다고 해서 망우초라도 부릅니다.

**들어가는 재료**
원추리 300g, 붉은 고추 1개, 소금 조금
**무침 양념** 고추장·설탕 1큰술씩, 국간장·식초 1/2큰술씩, 고춧가루 1작은술, 다진 마늘 1작은술, 참기름·통깨 조금씩

1 **원추리 데치기**  원추리를 깨끗이 씻어 끓는 물에 소금을 넣고 1분 정도 데친다.

2 **찬물에 우리기**  데친 원추리를 한 번 헹궈 찬물에 20분 정도 담가둔다.

3 **물기 짜서 썰기**  원추리를 건져 물기를 짠 뒤 먹기 좋게 썬다.

4 **양념에 무치기**  원추리에 붉은 고추를 송송 썰어 넣고 무침 양념을 넣어 조물조물 무친다.

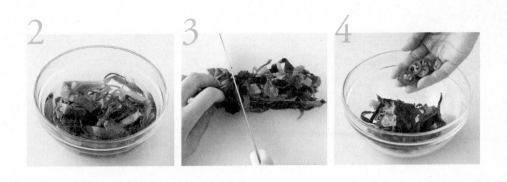

**영양 이야기**  우울증 치료를 도와요

원추리는 비타민이 풍부해 나른한 봄날에 몰려오는 춘곤증을 예방해요. 소변이 잘 안 나올
때 먹으면 이뇨 작용을 하고, 심신을 안정시켜 정서불안과 우울증 치료에도 효과가 있어요.
칼로리가 낮아서 다이어트에도 좋아요.

쑥갓콩가루나물                                                                쑥갓간장나물

# 쑥갓나물

향긋한 냄새만 맡아도 입맛이 도는 쑥갓나물. 살짝 데쳐서 두 가지 양념으로 맛을 냈어요.
쑥갓을 데칠 때는 줄기부터 먼저 넣어야 골고루 잘 익어요.

**들어가는 재료**

쑥갓 400g
**간장 양념** 국간장 2작은술, 다진 마늘 1작은술, 참기름 1큰술, 통깨 2작은술, 소금 조금
**콩가루 양념** 콩가루 2큰술, 국간장 2작은술, 참기름·깨소금·소금 조금씩

1 **쑥갓 데치기** 쑥갓을 억센 줄기를 잘라내고 연한 부분만 끓는 물에 살짝 데친다.

2 **물기 짜서 썰기** 데친 쑥갓을 찬물에 헹궈 물기를 짜서 먹기 좋게 썬다.

3 **양념에 무치기** 데친 쑥갓을 반씩 나눠 간장 양념과 콩가루 양념에 각각 무친다. 모자라는 간은 소금으로
맞춘다.

··· 데친 쑥갓은 찬물에 재빨리 헹궈 물기를 꼭 짜야 나중에 물이 생기지 않아요. 고추장이나 된장으로 양념해도 맛있어요.

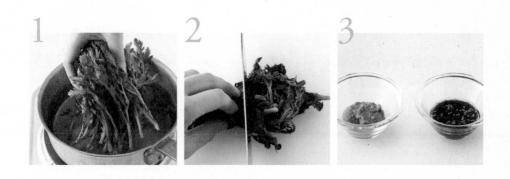

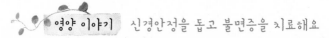 **영양 이야기** 신경안정을 돕고 불면증을 치료해요

쑥갓은 채소 중에서 특히 칼슘이 많은 것으로 유명해요. 칼슘은 불면증이 있을 때 수면을
유도하는 천연 신경안정제의 역할도 하지요. 풍부한 비타민과 엽록소는 눈의 피로를 풀고,
쑥갓의 향기는 자율신경을 자극해 변비 해소, 혈액순환에 도움을 줘요.

# 가지나물

한 김 오르게 찐 가지를 먹기 좋게 찢어 양념에 무친
가지나물은 여름철 밥상에 자주 오르는 반찬이에요.
수분이 많아서 많이 먹으면 피부에 좋아요.

**들어가는 재료**
가지 2개, 소금 조금
**무침 양념** 붉은 고추 1개, 간장 1큰술, 다진 파 1큰술,
다진 마늘 1작은술, 참기름 1큰술, 깨소금 1작은술, 소금 조금

1 **가지 쪄서 찢기** 가지를 깨끗이 씻어 꼭지를 떼고 길게 반 갈라 김 오른 찜통에 찐다. 한 김 나가면 굵직굵
직하게 찢는다.

2 **양념 만들기** 붉은 고추를 송송 썰어 나머지 재료와 고루 섞는다.

3 **양념에 무치기** 무침 양념에 찐 가지를 넣고 무친다. 모자라는 간은 소금으로 맞춘다.

••• 가지를 햇볕에 말려 두었다가 볶거나 무쳐 먹으면 좋아요. 제철인 늦여름에 넉넉히 사서 어슷하게 썰거나 6~8등분으로 길게 쪼개서
채반에 펼쳐 햇볕에 말리면 돼요.

 **영양 이야기** 변비와 장 질환을 예방해요

가지는 식이섬유가 풍부해 변비 해소에 좋을 뿐 아니라, 장 속의
노폐물을 배출해 장 질환을 예방하는 효과도 뛰어나요. 가지에 많은
폴리페놀 성분은 발암물질을 억제하는 것으로도 유명해요. 가지는
성질이 차가워서 열이 많은 사람에게 좋아요.

# 쪽파나물

양념으로 많이 쓰는 쪽파를 데쳐서 무치면
별미 반찬이 돼요. 보통 고추장 양념을 쓰지만
된장 양념으로 무치면 구수한 맛이 좋답니다.

**들어가는 재료**

쪽파 300g, 당근 1/4개, 김 2장,
된장 2큰술, 참기름 1/2큰술, 통깨 1작은술

1 **쪽파 데치기** 쪽파를 뿌리를 자르고 다듬어 깨끗이 씻는다. 끓는 물에 살짝 데쳐 찬물에 헹군 뒤 물기를
대충 짠다.

2 **쪽파·당근·김 준비하기** 쪽파는 3~4cm 길이로 썰고, 당근도 같은 길이로 채 썬다. 김은 달군 팬에 구워
가위로 가늘게 자른다.

3 **된장에 쪽파·당근 버무리기** 쪽파와 당근에 된장을 넣고 고루 버무린다.

4 **김·참기름·통깨로 맛내기** ③의 쪽파에 김과 참기름, 통깨를 넣고 한 번 더 버무린다.

••• 쪽파나물에 김을 조금 넣으면 맛이 훨씬 좋아져요. 이때 김을 반드시 구워서 넣어야 비린 맛이 덜해요.

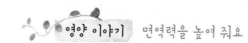 **영양 이야기** 면역력을 높여 줘요

쪽파는 성질이 따뜻하고 비장과 신장을 좋게 하며 기운을 북돋워 피로를
이기게 하는 채소로 알려져 있어요. 또한 콜레스테롤을 낮춰 성인병을
예방하고, 면역 기능을 강화해 암을 막고 노화를 늦추지요. 비타민과
칼슘, 칼륨, 철분 등도 풍부합니다.

# 느타리버섯무침

쫄깃한 느타리버섯을 국간장으로 간하고
들기름으로 무치면 영양 가득한 반찬이 돼요.
느타리버섯을 살짝 데쳐서 초고추장을 곁들여도
맛있어요.

**들어가는 재료**
느타리버섯 300g, 통깨 조금
**무침 양념** 국간장 1½큰술, 다진 마늘 1/2큰술, 들기름 1큰술

1 **버섯 데치기** 버섯을 흐르는 물에 흔들어 씻어 밑동을 자르고 끓는 물에 살짝 데친다.

2 **물기 짜서 찢기** 데친 버섯을 물기를 꼭 짜서 가늘게 찢는다.

3 **양념에 무치기** 느타리버섯에 무침 양념을 넣어 조물조물 무친 뒤 통깨를 뿌린다.

• • • 느타리버섯은 데쳐서 찢어야 부서지지 않아요. 양념에 물엿을 조금 넣어 달착지근한 맛을 내도 좋아요.

**영양 이야기** 비타민 D가 풍부해 성인병을 예방해요

느타리버섯은 유방암, 폐암, 간암 등에 좋아 천연 항암제로 알려져
있어요. 또 느타리버섯에 풍부한 비타민 D는 콜레스테롤 수치를 낮춰
고혈압, 동맥경화 같은 성인병을 예방하지요. 어린이 성장 발육을
돕는 성분도 많아요.

# 죽순겨자무침

죽순은 아작아작 씹는 맛이 좋아요. 매콤새콤한
겨자채에 버무리면 밥반찬은 물론 샐러드로도
좋지요. 통조림을 쓰면 구하기 쉽고 손질하기도
편해요.

**들어가는 재료**
죽순(통조림) 1개, 당근 1/4개, 오이 1/4개, 통깨·소금 조금씩
**겨자 양념** 연겨자 1큰술, 설탕 1큰술, 식초 2큰술, 소금 1작은술

1 **죽순 데치기**  죽순을 끓는 물에 데친 뒤 사이사이에 있는 흰색 앙금을 말끔히 씻어낸다.

2 **모양 살려 썰기**  삶은 죽순을 빗살무늬를 살려 얄팍하게 썬다.

3 **당근·오이 준비하기**  당근과 오이를 반달 모양으로 썬 뒤 소금에 살짝 절여 물기를 짠다.

4 **양념에 버무리기**  죽순과 당근, 오이를 한데 담고 겨자 양념을 넣어 고루 버무린 뒤 통깨를 뿌린다.

••• 제철에는 생 죽순을 쓰면 좋아요. 생 죽순도 통조림 죽순과 마찬가지로 끓는 물에 데쳐 앙금을 씻어내고 조리하세요.

 **영양 이야기**  성인병의 예방과 치료를 도와요

죽순은 식이섬유가 풍부해 변비는 물론 대장암 예방에도 좋아요. 이뇨
작용 등으로 몸속의 노폐물을 배출하는 효과도 크지요. 콜레스테롤의
흡수를 낮춰 당뇨병, 심장질환 등의 성인병을 예방, 치료하는 데도
도움이 됩니다.

# 곤드레나물

향이 담백하고 부드러운 강원도 나물이에요. 곤드레는 잎사귀가 바람에 흔들리는 모습이
마치 술에 곤드레만드레 취한 사람 같다고 해서 붙여진 이름이에요.

**들어가는 재료**
곤드레 300g, 들기름 2큰술
**무침 양념** 된장 1½큰술, 고춧가루 1/2큰술, 다진 파·다진 마늘 1큰술씩, 깨소금 조금

1 **곤드레 삶기**  곤드레를 다듬어 끓는 물에 살짝 데친 후 물기를 꼭 짜서 먹기 좋게 썬다.

2 **들기름에 버무리기**  데친 곤드레에 들기름을 넣어 버무린다.

3 **양념에 무치기**  들기름에 버무린 곤드레에 무침 양념을 넣어 조물조물 무친다.

··· 곤드레는 말려서 파는 것을 사면 편해요. 말린 곤드레는 물에 하루 정도 불려서 이용하면 됩니다.

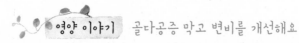 **영양 이야기**  골다공증 막고 변비를 개선해요

곤드레는 소화가 잘 되고 칼슘이 풍부해서 골다공증 예방에 좋아요. 비타민, 아미노산, 필수
지방산 등이 풍부해 성인병을 막는 데도 도움이 되지요. 식이섬유가 풍부해 심한 변비를
앓고 있는 사람에게 뛰어난 효과를 내는 것으로도 유명합니다.

# 풋마늘대무침

마늘이 굵어지기 전에 수확한 어린 잎줄기가 풋마늘대입니다. 매운맛은 덜하고 영양은 그대로라서
아이들 건강 반찬으로 준비하면 참 좋아요.

**들어가는 재료**
풋마늘대 300g, 양파 1/3개, 소금 조금
**무침 양념**  고추장 2큰술, 설탕 2작은술, 다진 양파 1작은술, 참기름 1큰술, 깨소금 1/2큰술, 통깨 조금

1  **풋마늘대 다듬기**  풋마늘대를 깨끗이 씻어 4cm 길이로 썬다.

2  **풋마늘대 데치기**  끓는 물에 소금을 넣고 다듬은 풋마늘대를 데친다.

3  **양파 썰기**  양파를 가늘게 채 썰어 물에 잠시 담가 매운맛을 뺀다.

4  **양념에 무치기**  무침 양념에 데친 풋마늘대와 양파에 넣고 고루 버무린다.

··· 풋마늘대를 무칠 때는 다진 마늘은 넣지 않아요. 대신 양파를 다져 넣으면 맛이 살아납니다.

**영양 이야기**  해독을 돕고 스트레스를 풀어 줘요
풋마늘대는 해독 작용이 뛰어나 몸속의 독소를 없애고 피로 해소와 피부 미용에 효과적
이에요. 또한 신경을 안정시키고 몸의 기운을 돋우므로 스트레스를 많이 받는 사람들이
많이 먹으면 좋아요.

# 깻잎찜

향긋한 깻잎을 양념장에 재서 찌면 밑반찬으로 그만이에요. 만들어서 오래 두기보다
조금씩 만들어 바로 먹는 게 더 맛있어요.

**들어가는 재료**
깻잎 5묶음(50장)
**양념장** 간장·고춧가루 2큰술씩, 설탕 1작은술, 송송 썬 파 1/2큰술, 다진 마늘 1큰술, 참기름 1/2큰술, 깨소금 1작은술, 후춧가루 조금

1 **깻잎 씻기** 깻잎을 흐르는 물에 깨끗이 씻어 물기를 뺀다.

2 **양념장 만들기** 양념장 재료를 고루 섞는다.

3 **양념장에 재기** 그릇에 깻잎을 2장 담고 양념장을 얹으면서 켜켜로 잰다. 남은 양념장은 깻잎 위에 붓는다.

4 **찌기** 찜통에 물을 조금 담고 ③의 그릇을 올려 약한 불에서 5분 정도 찐다.

🌿 **영양 이야기** 신진대사를 좋게 하고 신경통을 예방해요

깻잎은 비타민 A와 C, 비타민 E가 많고 철분, 칼륨 등의 미네랄도 풍부해요. 특히 칼슘은
시금치의 5배나 들어 있지요. 해독 작용을 하고, 신진대사를 좋게 하며, 말초신경을 튼튼
하게 해 신경통 예방에 도움이 돼요.

몸이 맑아지는 바다 나물

# 해조류 무침

해조류는 맛과 영양이 가득한
바다의 나물이다. 짭조름한 맛과
향긋한 바다 향이 배어 있어 산과 들에서
나는 나물과 달리 입에 착 감기는
감칠맛이 난다. 특유의 맛과 향이 입맛을
살리고, 풍부한 미네랄이 우리 몸을
맑게 하는 해조류. 새콤하게 혹은
깔끔하게 무친 해조류 무침 하나 더하면
밥상이 더 건강해진다.

## 해초무침

**들어가는 재료**
해초 200g, 통깨 적당량, 소금 조금
**무침 양념** 설탕·식초 2큰술씩, 참기름 1작은술

1 **해초 데치기** 해초를 소금물에 흔들어 씻은 뒤
끓는 물에 넣었다 빼기를 5번 정도 반복해서 데
친다. 찬물에 헹궈 물기를 살짝 짠다.

2 **무치기** 무침 양념을 해초에 넣고 고루 무친다.
마지막에 통깨를 뿌린다.

**영양 이야기** 태아의 두뇌 발달을 도와요
해초는 태아의 두뇌 발달을 촉진하는 엽산, 칼륨 등
미네랄이 많이 들어 있어 임신부가 먹으면 좋아요.
칼슘이 풍부해 골다공증을 막고, 식이섬유가 풍부한
저칼로리 식품이라서 비만과 성인병을 예방하는데
효과가 있어요.

# 물파래무침

**들어가는 재료**
물파래 200g, 무 80g, 붉은 고추 1/2개, 소금 조금
**무침 양념** 설탕 1/2큰술, 식초 2큰술, 다진 파 1큰술,
다진 마늘 1작은술, 깨소금·소금 1작은술씩

1 **파래 데치기** 파래를 끓는 물에 살짝 데쳐 찬물
에 헹군다. 물기를 꼭 짜서 먹기 좋게 썬다.

2 **무·고추 썰기** 무를 곱게 채 썰어 소금에 살짝
절인 뒤 헹궈서 물기를 짠다. 붉은 고추는 씨를
빼고 채 썬다.

3 **무치기** 무침 양념을 데친 파래에 넣고 고루 무
친다. 그릇에 담고 고추채를 올린다.

# 파래김무침

**들어가는 재료**
파래김 5장, 당근 1/4개
**무침 양념** 간장 1큰술, 설탕 1작은술,
고춧가루 1큰술, 다진 파·다진 마늘 1큰술씩,
참기름·깨소금 1큰술씩, 후춧가루 조금, 물 2큰술

1 **당근 썰기** 당근을 가늘게 채 썬다.

2 **김 부수기** 김을 바삭하게 구워 비닐봉지에 넣고
잘게 부순다.

3 **무치기** 무침 양념에 부순 김을 뿌려 넣고 조물
조물 무친다.

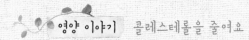 **영양 이야기** 콜레스테롤을 줄여요
파래와 김은 각종 미네랄과 비타민이 풍부한 알칼리성 식품이에요. 혈중 콜레스테롤을 줄여 동맥경화를 예방하
고, 식이섬유가 풍부해 대장암 예방에도 좋습니다.

# 미역오이무침

**들어가는 재료**
마른미역 60g, 오이 1개, 당근 1/4개, 소금 조금
**무침 양념** 설탕·식초 2큰술씩, 참기름 2작은술

1 **미역 데치기** 마른미역을 물에 불려 끓는 물에
   파르스름하게 데친 뒤 찬물에 헹군다. 물기를
   짜서 4cm 길이로 썬다.

2 **오이·당근 썰기** 오이는 반 갈라 어슷하게 썰고,
   당근도 오이와 비슷한 크기로 썬다. 각각 소금에
   절여 물기를 꼭 짠다.

3 **무치기** 미역, 오이, 당근을 한데 담고 무침 양념
   을 넣어 고루 버무린다.

# 미역들깨무침

**들어가는 재료**
물미역 100g, 오이 1개, 소금 조금, 참기름 1/3작은술
**무침 양념** 들깨가루 1큰술, 고춧가루 1/2큰술, 식초 2큰술,
설탕 1큰술, 다진 파 1큰술, 소금 조금

1 **미역 데치기** 물미역을 바락바락 주물러 씻어
   끓는 물에 소금을 넣고 데쳐 찬물에 헹군다. 물기
   를 꼭 짜서 4cm 길이로 썬다.

2 **오이 썰기** 오이를 굵은 소금으로 문질러 씻은
   뒤 반 갈라 어슷하게 썬다.

3 **무치기** 미역과 오이에 무침 양념을 넣어 조물
   조물 무친 뒤 참기름을 넣어 버무린다.

**영양 이야기** 어린이와 산모에게 좋아요

미역은 40여 가지의 미네랄, DHA, 리놀레산, 비타민 등이 풍부해요. 칼슘이 많이 들어 있어 성장기 어린이에게 좋고,
요오드는 피를 맑게 하지요. 산모가 영양을 보충하는 데도 그만입니다. 식이섬유도 많아 변비를 막아줘요.

# 톳나물

**들어가는 재료**
톳 300g, 무 1/4개, 소금 1/2큰술
**무침 양념** 멸치액젓 2큰술, 고춧가루 1큰술, 다진 파 1/2큰술,
다진 마늘 1작은술, 참기름·깨소금 조금씩

1. **톳 데치기**  톳을 깨끗이 주물러 씻은 뒤 끓는
   물에 살짝 데쳐 찬물에 두세 번 헹군다. 체에
   받쳐 물기를 뺀 뒤 3cm 길이로 썬다.

2. **무 절이기**  무를 껍질을 벗기고 가늘게 채 썰어
   소금에 30분 정도 절인다. 물기가 배어나오면
   헹궈서 물기를 꼭 짠다.

3. **양념에 무치기**  톳과 무에 무침 양념을 넣고 조
   물조물 무친다.

# 톳두부무침

**들어가는 재료**
톳 200g, 두부 1모
**무침 양념** 간장·참기름·깨소금 1큰술씩, 소금 조금

1. **두부 으깨기**  두부를 칼등으로 눌러 곱게 으깬
   뒤 면 보자기에 싸서 물기를 꼭 짠다.

2. **톳 데치기**  톳을 깨끗이 주물러 씻은 뒤 끓는
   물에 살짝 데쳐 찬물에 두세 번 헹군다. 체에
   받쳐 물기를 뺀 뒤 3cm 길이로 썬다.

3. **두부 양념하기**  으깬 두부에 간장, 참기름, 깨소
   금을 넣고 조물조물 무친 뒤 소금으로 간한다.

4. **톳 넣어 버무리기**  양념한 두부에 데친 톳을 넣고
   고루 버무린다.

**영양 이야기**  칼슘과 철분이 풍부해 어린이 성장 발육을 도와요

톳은 칼슘이 우유의 10배, 철분이 우유의 50배나 들어 있어서 어린이 성장 발육에 좋아요. 해조류를 비타민 C가
풍부한 채소와 함께 먹으면 미네랄의 흡수율이 높아지고, 두부와 함께 먹으면 단백질 등의 영양이 보완돼요.

Part 3 **볶음나물**

## 고소하게 혹은 깊은 맛으로~

볶음나물은 재료와 볶는 방법에 따라 다른 맛이 난다. 고구마줄기처럼 아삭아삭 씹는 맛을 살리기도 하고, 말린 나물처럼 푹 뜸을 들여 깊은 맛을 내기도 하는 볶음나물. 참기름이나 들기름에 구수하게 볶아내면 맛은 물론 영양까지 좋아진다.

# 도라지나물

도라지를 국간장으로 양념해 볶으면 쌉쌀하면서 고소한 맛이 좋아요. 부드러우면서도
아작아작한 맛을 살려 볶는 게 포인트예요.

**들어가는 재료**
도라지 200g, 식용유 적당량.
국간장 1큰술, 다진 파 1큰술, 다진 마늘 1/2큰술, 다진 생강 1/2작은술, 참기름 1큰술, 깨소금 1/2큰술, 소금 조금, 물 1/3컵

**1 도라지 손질하기**  도라지를 길이로 가늘게 썰어 소금을 넣고 바락바락 주물러 여러 번 헹군다.

**2 도라지 데치기**  손질한 도라지를 끓는 물에 데쳐 찬물에 헹군다.

**3 양념해 볶기**  식용유를 두른 팬에 도라지를 넣고 국간장, 다진 파, 다진 마늘, 다진 생강으로 양념해 볶다가
물을 붓고 뚜껑을 덮어 약한 불로 익힌다.

**4 참기름·깨소금으로 맛내기**  국물이 자작해지면 참기름과 깨소금을 넣어 맛을 내고 소금으로 간을 맞춘다.

• • • 국간장으로만 간을 하면 도라지가 검어져서 보기에 좋지 않아요. 국간장으로는 색만 내고 나머지 간은 소금으로 맞추세요.

**영양 이야기**  기침과 가래를 없애요
도라지는 기침과 가래를 없애는 효능이 있어서 천식 같은 기관지 질환에 좋고 감기를 예방
해요. 또 풍부한 사포닌은 염증을 완화시키지요. 평소 몸이 차거나 설사를 자주 하는 사람이
도라지를 꾸준히 먹으면 설사가 멎고 몸이 따뜻해집니다.

# 고사리나물

명절에 빠지지 않고 상에 오르는 고사리나물은 부드럽고 구수한 맛이 좋아요.
볶을 때 마지막에 불을 끄고 뚜껑을 덮어 뜸을 들여야 부드러워져요.

**들어가는 재료**
고사리 300g, 참기름 1큰술, 깨소금 1/2큰술, 식용유 적당량, 물 1/4컵
**양념** 국간장 2큰술, 다진 파 2큰술, 다진 마늘 1½큰술, 후춧가루 조금

1 **고사리 삶기** 고사리를 끓는 물에 15분 정도 부드러워지게 삶는다.

2 **다듬어 썰기** 삶은 고사리는 단단한 줄기를 잘라내고 연한 부분만 준비한다. 깨끗이 씻어 물기를 꼭 짜서
   5cm 길이로 썬다.

3 **양념에 재기** 고사리에 양념을 넣고 무쳐 간이 배도록 잠시 둔다.

4 **팬에 볶기** 팬에 식용유를 두르고 양념한 고사리를 넣어 볶다가 물을 넣고 뚜껑을 덮어 약한 불로 익힌다.
   물이 자작하게 남으면 참기름, 깨소금을 넣어 다시 한 번 볶는다.

••• 고사리와 같이 묵은 나물은 마늘을 넉넉히 넣고 볶아야 맛있어요. 말린 고사리는 물에 충분히 불려야 부드러운 맛을 살릴 수 있어요.

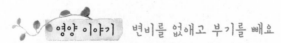

**영양 이야기** 변비를 없애고 부기를 빼요

고사리는 식이섬유가 많아 포만감을 주기 때문에 다이어트에 좋아요. 식이섬유는 변비를 예
방하고 부기를 없애는 데도 효과가 좋습니다. 익히지 않은 고사리는 발암 물질과 비타민 $B_1$
을 분해하는 효소가 들어 있으니 날로는 먹지 마세요.

# 곰취나물

특유의 향과 맛을 지닌 곰취를 양념해 볶아 구수한 맛이 좋은 나물이에요. 취나물 중에서도 잎이 넓고 둥근 곰취는 영양이 풍부해 나른해지기 쉬운 봄에 활력을 불어넣어 줘요.

**들어가는 재료**

곰취 200g, 소금·통깨 조금씩, 들기름 적당량

**양념** 국간장 2큰술, 다진 파 1큰술, 다진 마늘 1/2큰술, 참기름 1큰술, 깨소금 조금

1 **곰취 다듬기** 곰취의 질긴 줄기를 잘라내고 깨끗이 다듬어 씻는다.

2 **데쳐서 물기 짜기** 팔팔 끓는 물에 소금을 넣고 곰취를 데쳐서 찬물에 여러 번 헹군다. 데친 곰취는 물기를 꼭 짜서 먹기 좋게 썬다.

3 **양념하기** 곰취에 양념 재료를 넣어 골고루 무친다.

4 **팬에 볶기** 팬에 들기름을 두르고 양념한 곰취를 넣어 볶는다. 다 볶아지면 통깨를 뿌린다.

··· 곰취를 말릴 때는 데쳐서 채반에 펼쳐 햇볕이 좋고 통풍이 잘 되는 곳에서 말리세요. 서늘한 곳에 두고 조금씩 꺼내 먹으면 겨우내 취나물의 영양을 섭취할 수 있어요.

**영양 이야기** 발암 물질을 줄이고 활력을 줘요

곰취는 체액이 산성화되는 것을 막는 알칼리성 식품으로 단백질, 칼슘, 인, 철분 등의 영양이 가득해요. 베타카로틴과 비타민 C가 풍부해 고기를 구울 때 생기는 발암 물질을 줄이는 효과도 있지요. 춘곤증에 시달리는 봄에 활기를 되찾게 해 주는 나물이기도 해요.

# 깻잎볶음

연한 들깻잎을 데쳐서 갖은 양념을 해 들기름으로 볶은 깻잎나물. 향긋하고 고소한 맛이
입맛 살리는 건강 반찬이에요.

**들어가는 재료**
깻잎 400g, 소금 조금, 식용유 적당량, 물 1/4컵
**양념** 국간장 2큰술, 다진 파 1큰술, 다진 마늘 1작은술, 들기름 2큰술, 깨소금 1큰술

1 **깻잎 데치기** 깻잎은 끓는 물에 소금을 넣고 살짝 데쳐서 찬물에 헹구어 물기를 꼭 짠다.

2 **양념하기** 데친 깻잎에 양념을 넣고 조물조물 무친다.

3 **팬에 볶기** 달군 팬에 식용유를 두르고 양념한 깻잎을 넣어 천천히 볶다가 물을 조금씩 뿌려 가며 부드럽게
볶는다.

••• 깻잎을 볶을 때 들기름을 넣으면 훨씬 고소해요. 물을 조금씩 뿌려 가며 볶으면 다른 양념이 잘 배어들고 촉촉해서 더 맛있어요.

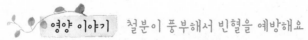 **영양 이야기** 철분이 풍부해서 빈혈을 예방해요

깻잎은 철분이 풍부해서 빈혈에 좋아요. 깻잎을 30g 정도만 먹으면 하루에 필요한 철분이
다 공급된다고 해요. 또한 깻잎의 독특한 향 성분은 방부제 역할을 해서 생선회와 같은 날
음식을 먹을 때 함께 먹으면 식중독을 예방할 수 있어요.

# 시래기된장볶음

된장 양념에 볶아 속까지 구수하게 맛이 밴 시래기는 씹을수록 깊은 맛이 나요.
시래기는 비타민과 칼슘, 철분 등이 풍부해 여성에게 좋아요.

**들어가는 재료**
말린 시래기 50g, 멸치가루·소금·후춧가루 조금씩, 식용유 적당량
**양념** 된장 1큰술, 국간장 1큰술, 다진 양파 2큰술, 다진 파·다진 마늘 1큰술씩, 참기름·깨소금·후춧가루 조금씩

1 **시래기 데치기** 말린 시래기를 하루 정도 물에 불려 부드럽게 삶은 뒤 여러 번 헹군다. 물기를 꼭 짜서 4cm 길이로 썬다.

2 **양념하기** 양념 재료를 섞어 삶은 시래기에 넣고 간이 배게 조물조물 무친다.

3 **팬에 볶기** 팬에 식용유를 두르고 양념한 시래기를 볶다가 소금으로 간하고 후춧가루와 멸치가루를 넣어 조금 더 볶는다.

• • • 시래기처럼 묵은내가 나는 나물은 삶아서 다시 한 번 물에 담가 냄새를 우려내세요. 마지막에 멸치가루를 넣으면 구수한 맛이 더 좋아요.

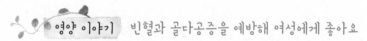 **영양 이야기** 빈혈과 골다공증을 예방해 여성에게 좋아요
철분과 칼슘 등의 미네랄이 풍부해 빈혈과 골다공증 예방에 뛰어난 효과가 있어요. 여성에게 특히 좋은 식품이지요. 비타민 A와 C가 많고 식이섬유가 많아 변비를 해소하고 장 속 노폐물을 배출하는 데 도움이 돼요.

# 토란대볶음

토란대를 들깨가루 양념으로 볶아 고소한 맛을 냈어요. 식이섬유가 풍부한 토란대는 씹는 맛이 좋답니다.
말린 토란대는 아린 맛이 있으니 물에 충분히 불린 뒤 푹 삶아서 볶아야 해요.

**들어가는 재료**
말린 토란대 50g, 들기름 2/3큰술, 물 1컵
**양념** 국간장 2큰술, 들깨가루 1큰술, 다진 파·다진 마늘 1/2큰술씩

1 **토란대 삶기**   말린 토란대를 하루 정도 물에 불린 뒤 끓는 물에 10~30분 삶아 여러 번 헹군다. 물기를 꼭
  짜서 5cm 길이 정도로 썬다.

2 **양념하기**   양념 재료를 모두 섞어 불린 토란대에 넣고 조물조물 무친다.

3 **팬에 볶기**   팬에 들기름을 두르고 양념한 토란대를 볶다가 물을 부어 자작하게 조린다.

· · · 토란대를 빨리 불리려면 미지근한 물에 설탕을 넣고 불리세요.

 **영양 이야기**   강장 효과가 뛰어나요

토란대는 칼륨과 칼슘, 비타민 B, 단백질이 풍부해 강장 효과가 뛰어나요. 염증을 가라
앉히는 소염 작용이 있어 어깨 결림이나 신경통이 있을 때 토란대와 생강을 갈아 밀가루와
섞어서 붙여 두면 통증 완화 효과를 볼 수 있어요.

# 부지깽이나물

울릉도 특산물인 부지깽이나물을 국간장과 들기름으로 볶은 나물이에요.
부지깽이나물은 향이 진하고 부드러운 게 특징입니다.

**들어가는 재료**
부지깽이나물 300g, 들기름 2큰술, 통깨·소금 조금씩, 물 1/4컵
**양념** 국간장 2큰술, 다진 마늘 1큰술

1 **부지깽이나물 삶아 우리기**   부지깽이나물을 끓는 물에 소금을 넣고 15분 정도 삶아 물을 버린다. 다시 물을
  붓고 20분 정도 삶아 물을 버리고 새 물을 부어 1시간 정도 우린다.

2 **양념하기**   삶은 부지깽이나물을 물기를 짜서 먹기 좋게 썰어 국간장, 다진 마늘로 양념한다.

3 **팬에 볶기**   팬에 들기름을 두르고 양념한 부지깽이나물을 볶다가 물을 부어 2~3분 정도 끓인다. 국물이
  자작해지면 불을 끄고 통깨를 뿌린다.

••• 부지깽이나물이 어린잎이면 10분 정도 삶아 찬물에 2시간 정도 우려서 쓰는 것이 좋아요.

**영양 이야기**  **천식을 가라앉히고 면역력을 높여요**

비타민 A와 비타민 C가 풍부하고 단백질, 칼슘이 많이 들어 있는 산나물이에요. 천식을
가라앉히고 면역력을 높여 감기를 예방하는 효과가 있어요. 독특한 향기가 있어 입맛을
돋우는 데도 좋습니다.

# 머윗대들깨나물

머윗대에 들깨를 갈아 넣고 푹 익힌 나물이에요. 머위의 사각사각한 질감과
들깨의 고소한 향이 일품입니다.

**들어가는 재료**
머윗대 400g, 들깨 2컵, 소금·들기름 조금씩, 물 1컵
**양념** 국간장 1큰술, 다진 파 1큰술, 다진 마늘 2작은술

1 **머윗대 삶기**  머윗대는 껍질을 벗기고 끓는 물에 삶아 먹기 좋게 썬다.

2 **들깨 갈기**  들깨를 분쇄기로 곱게 갈아 물과 섞는다.

3 **양념하기**  삶은 머윗대를 국간장에 먼저 무친 뒤 다진 파와 다진 마늘을 넣어 무친다.

4 **팬에 볶기**  팬에 들기름을 두르고 양념한 머윗대와 들깨물을 넣어 볶다가 중간 불에서 부드럽게 익힌다.
   모자라는 간은 소금으로 맞춘다.

• • • 머윗대를 데칠 때 색깔이 파랗게 변하면 꺼내서 바로 찬물에 헹구세요. 데치기를 잘 해야 구수하고 감칠맛이 진해요.

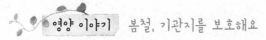

**영양 이야기**  봄철, 기관지를 보호해요

비타민과 칼슘, 철분 등 미네랄이 풍부한 머윗대는 폐의 기운을 북돋우고 가래를 삭이는 데
효과가 있어 호흡기 질환에 좋아요. 특히 꽃가루가 날리는 봄철에 약해지기 쉬운 기관지를
보호하는 효과가 뛰어납니다.

# 가지볶음

가지를 소금에 절여 아린 맛을 뺀 뒤 갖은 양념으로 볶아서 맛을 냈어요. 영양이 풍부하고 부드러워
제철인 여름에 상에 올리면 좋아요.

**들어가는 재료**

가지 2개, 소금물(소금 1큰술, 물 2컵), 양파 1/2개, 실파 3뿌리, 식용유 적당량
간장 2큰술, 다진 마늘 2작은술, 설탕·참기름·깨소금 1작은술씩, 소금·후춧가루 조금씩

1 **가지 썰기**  가지를 씻어 꼭지를 떼고 반달 모양으로 썬다.

2 **절여 물기 짜기**  가지를 엷은 소금물에 10분 정도 담가 아린 맛을 뺀 뒤 체에 밭쳐 물기를 뺀다.

3 **양파·실파 썰기**  양파는 반 갈라 굵게 채 썰고, 실파는 송송 길이로 썬다.

4 **팬에 볶기**   팬에 식용유를 두르고 양파와 가지를 볶다가 간장, 다진 마늘, 설탕을 넣고 소금으로 간을 맞춘다.
마지막에 참기름, 깨소금, 후춧가루, 실파를 넣어 한 번 더 볶는다.

• • • 가지는 썰어 놓으면 색깔이 금세 변해요. 썰어서 물에 담가두면 갈변을 막을 수 있어요. 다진 쇠고기를 넣거나 풋고추와 고춧가루를 넣어
매콤하게 볶아도 맛있어요.

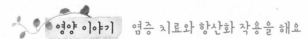

영양 이야기  염증 치료와 항산화 작용을 해요

가지는 성질이 차서 염증을 치료하는 데 도움이 돼요. 보라색을 내는 안토시아닌은 항산화
작용을 하고, 만성피로 해소와 체력 증진에도 효과가 있지요. 가지의 꼭지 부분에 영양이
많이 들어 있으니 조리할 때 꼭지 부분을 너무 많이 잘라내지 마세요.

# 우엉볶음

아작아작 씹는 맛이 좋은 우엉을 가늘게 채 썰어 볶았어요. 우엉볶음은 밑반찬으로 두고 먹어도 좋고,
김밥을 쌀 때 넣어도 맛있어요.

**들어가는 재료**
우엉 200g, 식초물(식초 1큰술, 물 2컵), 식용유 적당량,
간장 3큰술, 물엿 2큰술, 청주 1큰술, 다진 마늘 1큰술, 참기름·통깨 조금씩

**1 우엉 껍질 벗기기**  우엉을 깨끗이 씻어 껍질을 칼등으로 살살 긁어낸다.

**2 우엉 채썰기**  우엉을 4~5cm 길이로 토막 내어 가늘게 채 썰어 식초물에 담가 둔다.

**3 팬에 볶기**  팬에 식용유를 두르고 다진 마늘을 볶다가 채 썬 우엉과 간장, 물엿, 청주를 넣어 볶는다. 마지막에 참기름과 통깨를 넣어 맛을 낸다.

··· 우엉은 껍질을 벗기면 색깔이 금세 갈색으로 변해요. 식초물에 담가 두면 갈변을 막을 수 있어요.

 **영양 이야기**  빈혈을 예방하고 콜레스테롤을 줄여요

콜레스테롤을 몸 밖으로 내보내고 신장 기능을 높여 당뇨병 환자에게도 좋아요. 식이섬유인
리그닌은 장운동을 활발하게 해 변비를 개선하고 암세포의 발생을 억제해요.

# 오이볶음

오이를 소금에 살짝 절여 기름에 볶으면 아작아작하고
맛있어요. 오이의 오돌토돌한 가시를 긁어내고
볶아야 감촉이 좋아요.

**들어가는 재료**
오이 1개, 소금 1큰술, 식용유 1큰술,
다진 파 1큰술, 다진 마늘 1/2큰술, 참기름 1작은술,
통깨·소금 조금씩

1 **오이 썰기** 오이를 소금으로 문질러 씻어 물에 헹군 뒤 얇고 동그랗게 썬다.

2 **절여 물기 짜기** 얇게 썬 오이에 소금을 뿌려 15분 정도 절인다. 물기가 배어 나오면 꼭 짠다.

3 **오이 볶기** 달군 팬에 식용유를 두르고 오이를 재빨리 살짝 볶는다.

4 **팬에 볶기** ③에 다진 파, 다진 마늘, 참기름을 넣어 조금 더 볶는다. 오이가 아삭해지면 불을 끄고 통깨를
뿌린다.

• • • 오이볶음은 센 불에서 얼른 볶아 식혀야 새파랗고 아작아작해요. 다진 쇠고기에 갖은 양념을 해서 함께 볶아도 맛있어요.

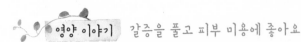 **영양 이야기** 갈증을 풀고 피부 미용에 좋아요

오이는 수분이 많고 비타민과 엽록소가 풍부해 피부 보습과 미백에
좋은 작용을 해요. 갈증을 해소하고 열을 식히는 작용도 뛰어나지요.
이뇨 작용이 있어 몸이 부었을 때 먹으면 효과를 볼 수 있어요.

# 애호박 새우젓볶음

애호박을 새우젓으로 양념해 볶아 깔끔하고
깊은 맛이 나요. 애호박은 소화 흡수가 잘 되어
아이들 반찬으로 좋아요.

**들어가는 재료**

애호박 1개, 식용유 적당량,
풋고추·붉은 고추 조금씩, 새우젓 1큰술, 다진 파 1큰술,
다진 마늘 1/2큰술, 참기름·깨소금·소금 조금씩

1 **애호박 절이기**   애호박을 반 갈라 반달 모양으로 썬 뒤 소금을 뿌려 절인다. 물기가 배어나오면 물기를 짠다.

2 **고추 썰기**   풋고추와 붉은 고추를 반 갈라 씨를 털어내고 어슷하게 썬다.

3 **새우젓 준비하기**   새우젓을 꼭 짜서 젓국을 받고 건더기는 적당히 다진다.

4 **팬에 볶기**   팬에 식용유를 두르고 애호박을 넣어 볶는다. 애호박이 반쯤 익으면 고추를 넣고 다진 새우젓과
젓국, 다진 파, 다진 마늘을 넣어 볶는다. 마지막에 참기름과 깨소금을 넣어 맛을 낸다.

• • •   소금에 절였다가 물기를 짜서 센 불에 재빨리 볶아야 살캉살캉한 맛이 살아요. 볶아서 넓은 접시에 펼쳐 식히면 물러지지 않아요.

 **영양 이야기**   위가 약한 사람에게 좋아요

호박은 수분이 많고 몸속에서 비타민 A로 바뀌는 베타카로틴과 비타민
C, 당질, 칼슘 등이 풍부해요. 항산화 영양소인 비타민 E도 많이 들어
있어요. 소화 흡수가 잘 돼 위가 약한 사람에게 좋고, 식이섬유도 고구마
만큼 많습니다.

# 피마자잎나물

말린 피마자잎을 삶아 간장과 들기름으로 양념해
볶은 나물이에요. 아주까리로 알려진 피마자잎은
잘 이용하면 약이 된답니다.

**들어가는 재료**
말린 피마자잎 50g, 들기름 2큰술, 통깨 조금, 물 4큰술
**양념** 국간장 2큰술, 다진 파·다진 마늘 1큰술씩,
깨소금 1/2큰술

1 **피마자잎 삶기** 말린 피마자잎을 하루 정도 물에 불린 뒤 10~20분 삶아 여러 번 헹궈서 물기를 꼭 짠다.

2 **양념에 재기** 양념 재료를 모두 섞어 삶은 피마자잎에 넣고 조물조물 무쳐 30분 정도 잰다.

3 **팬에 볶기** 팬에 들기름을 두르고 양념한 피마자잎을 볶다가 물을 붓고 자작하게 조리듯이 볶는다. 마지막에
통깨를 뿌린다.

 영양 이야기   염증을 가라앉히고 독소를 배출해요

피마자잎은 염증을 가라앉히고 몸속의 독소를 배출하는 작용을 해요.
중풍으로 인한 얼굴 마비증상을 푸는 데도 뛰어난 효과가 있지요. 단,
독성이 있기 때문에 임신부나 비위가 약한 사람은 피하는 게 좋아요.

# 호박고지볶음

말린 호박을 물에 불려 물기를 짠 뒤 기름에 볶다가
간장 양념으로 끓인 반찬이에요. 호박을 햇볕에
잘 말린 호박고지나물은 씹을수록 쫄깃한 맛이 나요.

**들어가는 재료**
호박고지 100g, 소금물(소금 1큰술, 물 1컵), 식용유 2큰술,
국간장 2큰술, 다진 파 1큰술, 다진 마늘 1작은술,
참기름(또는 들기름) 1큰술, 깨소금 1작은술

1 **호박고지 불리기**  호박고지를 미지근한 물에 20분 정도 담가 부드럽게 불린 뒤 부서지지 않도록 가볍게 짠다.

2 **양념해 볶기**  달군 팬에 식용유를 두르고 호박고지와 소금물을 넣어 볶는다. 끓으면 다진 파, 다진 마늘을
넣고 국간장으로 간해 뒤적이며 볶는다.

3 **부드럽게 익히기**  뚜껑을 덮어 잠시 뜸을 들인다. 호박고지볶음이 부드러워지면 참기름과 깨소금을 넣어
맛을 더한다.

• • •  말린 호박을 실온에 보관하면 곰팡이가 생길 수 있어요. 오래 두고 먹으려면 냉동실에 보관하는 것이 좋아요.

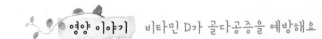 **영양 이야기**  비타민 D가 골다공증을 예방해요

호박의 영양이 농축되어 있는 호박고지는 햇볕에 말리면서 비타민
D가 생겨 골다공증 예방에 좋아요. 식이섬유가 풍부해 다이어트에
좋고, 이뇨 작용이 있어 부기를 빼는 데도 효과가 있어요.

# 고구마줄기볶음

고구마줄기를 양념해 볶으면 들기름 향이 배어
고소하고 아삭아삭 씹히는 맛도 좋아요. 된장과
고추장을 섞어 양념하면 텁텁하지 않아요.

**들어가는 재료**
고구마줄기 400g, 붉은 고추 1개, 들기름 2큰술, 통깨 조금
**양념** 된장·고추장 1큰술씩, 다진 파 1/2큰술, 다진 마늘 1큰술

1 **고구마줄기 데치기**  고구마줄기의 끝을 꺾어 내려 껍질을 벗긴다. 끓는 물에 데쳐 찬물에 헹궈 물기를 꼭
   짜서 5cm 길이로 썬다.

2 **고추 썰기**  붉은 고추는 씨를 빼낸 뒤 송송 썬다.

3 **양념하기**  양념 재료를 섞어 고구마줄기에 넣고 조물조물 무친다.

4 **팬에 볶기**  달군 팬에 들기름을 두르고 양념한 고구마줄기를 볶다가 채 썬 고추를 넣어 좀 더 볶는다. 마지막
   에 통깨를 뿌린다.

・・・ 고구마줄기는 마르지 않고 통통한 것을 골라야 부드럽고 맛있어요.

 골다공증과 고혈압을 예방해요

고구마줄기도 고구마처럼 식이섬유가 많아 변비 예방에 좋아요.
칼슘과 칼륨이 풍부해 골다공증과 고혈압을 막고 지방간과 대장암
예방에도 효과가 있어요. 비타민이 풍부해 노화 방지에도 도움이 됩니다.

# 미역줄기볶음

미역줄기볶음은 꼬들꼬들 씹히는 맛이 좋아요.
마늘을 넉넉히 넣고 향이 충분히 배어들게 볶아야
맛있어요.

**들어가는 재료**
염장 미역줄기 300g, 풋고추 1개, 식용유 1큰술
**양념** 간장 2큰술, 다진 마늘 1큰술, 청주 1작은술, 통깨 조금

1 **미역 짠맛 빼기** 미역줄기를 물에 충분히 담가 짠맛을 뺀 뒤 맑은 물에 여러 번 헹궈 먹기 좋게 썬다.

2 **풋고추 썰기** 풋고추를 반 갈라 씨를 털어내고 채 썬다.

3 **양념하기** 미역줄기에 양념을 넣어 고루 주무른다.

4 **팬에 볶기** 달군 팬에 식용유를 두르고 양념한 미역줄기를 볶다가 채 썬 풋고추를 넣어 볶는다.

• • • 염장 미역줄기는 찬물에 담가 짠맛을 빼고 조리해야 해요. 염장 상태에 따라 찬물에 담가 두는 시간이 다른데, 보통 1시간 정도 담가
두면 짠맛이 알맞게 빠져요. 소금기가 너무 빠지면 마지막에 소금으로 간을 맞추면 됩니다.

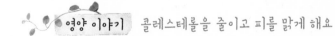 **영양 이야기** 콜레스테롤을 줄이고 피를 맑게 해요

칼로리가 거의 없어 다이어트에 좋고, 식이섬유인 알긴산이 변비를
예방해요. 알긴산은 또 콜레스테롤을 줄이고 피를 맑게 하는 작용도
하지요. 비타민 B의 일종인 엽산이 풍부한데, 엽산은 태아의 척추기형
을 막기 때문에 임신부가 먹으면 특히 좋아요.

## Part 4

# 별미 나물요리

## 비빔밥으로, 전으로 다양하게~

나물은 반찬 외에도 다양한 음식으로 즐길 수 있다. 비빔밥은 물론 전을
부쳐도 맛있고 김밥이나 파스타를 만들어도 색다른 맛이 좋다. 싱싱하고
영양 많은 제철 나물로 여러 가지 음식을 만들어 상에 올리면 사계절 내내
가족의 입맛과 건강을 챙길 수 있다.

# 산채비빔밥

냉이와 달래, 취나물 등을 넣고 고추장에 쓱쓱 비벼 먹는 웰빙 비빔밥.
비타민과 미네랄이 풍부한 산나물이 가득 들었어요.

**들어가는 재료**

현미밥 4공기, 냉이·달래·취·깻잎순·우거지 2줌씩

**취·깻잎순·우거지 양념** 국간장 2큰술, 다진 마늘 2작은술, 들기름 2큰술, 통깨 2작은술, 소금 조금

**냉이 양념** 된장 1큰술, 국간장 1작은술, 다진 파·다진 마늘 1작은술씩, 참기름·깨소금 1/2작은술씩

**양념장** 고추장 4큰술, 된장·물엿 2큰술씩, 다진 파 2큰술, 다진 마늘 1큰술, 참기름 2큰술, 깨소금 2작은술

1 **취·깻잎순·우거지 볶기**  우거지는 푹 삶고 취, 깻잎순은 끓는 물에 데친다. 각각 먹기 좋게 썰어 들기름을 두른 팬에 양념해 볶는다.

2 **냉이 무치기**  냉이를 살짝 데친 뒤 냉이 양념을 모두 섞어 넣고 고루 무친다.

3 **달래 썰기**  달래를 깨끗이 씻어 물기를 털고 송송 썬다.

4 **그릇에 담기**  그릇에 따뜻한 현미밥을 담고 준비한 나물을 돌려 담은 뒤 양념장을 곁들인다.

**영양 이야기**  몸의 면역력을 길러 줘요

산나물은 비타민과 미네랄이 풍부해 면역 기능을 좋게 해요. 특히 냉이는 위궤양을 치료하고, 취는 진통이나 항암 효과가 있는 등 약효도 뛰어나지요. 비빔밥은 여러 가지 나물이 골고루 들어가 다양한 효능이 가득해요.

# 강된장비빔밥

보리밥에 삼색 나물을 넣고 구수한 강된장으로 비벼 먹는 별미 비빔밥이에요. 입맛 없는 여름철 별미로
그만이지요. 집에 있는 재료로 간편하게 만들 수 있어요.

**들어가는 재료**
보리밥 4공기, 콩나물·깻잎순 2줌씩, 삶은 고사리 80g
**콩나물 양념** 다진 파 1큰술, 다진 마늘 1작은술, 참기름·깨소금 1작은술씩, 소금 조금
**깻잎순 양념** 다진 마늘 1작은술, 참기름·깨소금 1작은술씩, 소금 조금
**고사리 양념** 국간장 1큰술, 다진 파 1큰술, 다진 마늘 1작은술, 참기름·깨소금 1작은술씩
**강된장** 된장 2큰술, 고추장 1큰술, 다진 애호박·다진 양파 1/2개 분량씩, 다진 마늘·다진 풋고추 2작은술씩, 멸치국물 2컵

1 **깻잎순·콩나물 무치기**  콩나물과 깻잎순을 깨끗이 씻어 끓는 물에 각각 데친다. 콩나물은 식혀서 양념에
   무치고, 깻잎순은 찬물에 헹궈 물기를 짜서 양념한다.

2 **고사리 볶기**  삶은 고사리를 먹기 좋게 썰어 국간장, 다진 파, 다진 마늘로 양념한다. 양념이 배면 팬에 넣고
   물을 조금 넣어 볶다가 참기름, 깨소금을 뿌린다.

3 **강된장 만들기**  뚝배기에 멸치국물을 넣고 된장과 고추장을 푼 뒤 다진 애호박, 다진 양파, 다진 마늘을 넣어
   팔팔 끓인다. 한소끔 끓으면 다진 풋고추를 넣고 바짝 졸아들 때까지 끓인다.

4 **그릇에 담기**  그릇에 따뜻한 보리밥을 담고 준비한 나물을 올린 뒤 강된장을 곁들인다.

··· 삼색 나물 대신 부추와 애호박을 넣고 비벼도 잘 어울려요. 강된장에 감자를 잘게 썰어 넣으면 되직하고 부드러워져요.

**영양 이야기**  성인병과 암을 예방해요
비타민이 풍부한 나물과 단백질이 풍부한 된장을 함께 먹으면 맛은 물론 영양도 보완
돼요. 된장은 성인병이나 암을 예방할 뿐만 아니라 해독 작용이 있어 술과 담배, 중금속의
독성을 중화시켜요.

# 참나물볶음밥

봄나물의 향긋함을 그대로 느낄 수 있는 볶음밥이에요. 잔멸치와 달걀을 함께 볶아
칼슘과 단백질을 보완하고 맛도 업그레이드시켰어요.

**들어가는 재료**

밥 4공기, 참나물 2줌, 잔멸치 2컵, 양파 1/2개, 표고버섯 2개, 달걀 2개, 설탕 조금, 맛술 1큰술, 청주·참기름 2작은술씩, 식용유 적당량
**참나물 양념** 참기름·소금·후춧가루 조금씩

1 **참나물 양념하기** 참나물을 끓는 물에 데쳐 헹군 뒤 물기를 짜서 2cm 길이로 썬다. 참기름·소금·후춧
  가루로 양념해 무친다.

2 **양파·표고버섯·잔멸치 준비하기** 양파와 표고버섯은 굵게 다지고, 잔멸치는 전자레인지에 30초 정도 돌려
  수분을 없앤다.

3 **양파·표고버섯·잔멸치 볶기** 식용유를 두른 팬에 잔멸치를 넣고 맛술, 청주, 설탕, 참기름으로 양념해 볶다가
  양파와 표고버섯을 넣어 함께 볶는다.

4 **밥 섞고 달걀 볶기** ③에 밥을 넣어 섞고, 팬 한쪽에 달걀을 풀어 넣어 스크램블을 만든다.

5 **참나물 넣기** ④에 양념한 참나물을 넣어 고루 섞는다.

· · · 참나물을 밥과 함께 볶는 대신 무침을 해서 밥 위에 얹어 비벼 먹어도 맛있어요.

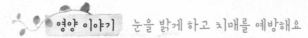
**영양 이야기** 눈을 밝게 하고 치매를 예방해요

참나물은 촉감이 부드럽고 미나리 향이 나서 입맛 없는 봄철 밥상에 올리면 좋아요. 몸속에
서 비타민 A로 바뀌는 베타카로틴이 많아 눈을 밝게 하고 식이섬유도 풍부하지요. 뇌 기능
을 좋게 해 치매 예방에도 효과가 있어요.

# 아욱죽

국거리나 나물로 주로 쓰는 아욱을 불린 쌀과 함께 된장과 고추장으로 맛을 낸 국에 넣고 푹 끓인 죽.
구수하고 든든해 한 끼 식사로 손색이 없어요.

**들어가는 재료**
아욱 500g, 쌀 1½컵, 붉은 고추 1개, 된장 2큰술, 고추장 1큰술, 국간장·소금 조금씩, 참기름 1큰술, 물 15컵

1 **쌀 불리기**   쌀을 씻어서 체에 받쳐 30분 정도 불린다.

2 **아욱 다듬기**   아욱은 줄기 부분의 껍질을 벗겨낸 뒤 소금을 조금 뿌려 손바닥으로 가볍게 문지르듯이 비벼
가며 씻은 뒤 찬물에 헹궈 4cm 길이로 썬다.

3 **죽 끓이기**   냄비에 참기름을 두르고 불린 쌀을 넣어 볶다가 된장과 고추장을 넣고 물을 부어 약한 불에서
끓인다.

4 **아욱·붉은 고추 넣어 끓이기**   쌀알이 투명해지면 아욱과 송송 썬 붉은 고추를 넣고 쌀이 푹 퍼질 때까지
저어 가면서 끓인다. 국간장과 소금으로 간하고 불을 끈다.

··· 국간장을 많이 넣으면 아욱죽의 국물 색이 탁해질 수 있어요. 소금과 간장의 양을 적절히 조절해 간을 해야 먹음직스럽게 됩니다.

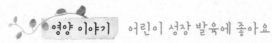
**영양 이야기**   어린이 성장 발육에 좋아요

아욱은 단백질과 미네랄, 칼슘, 지방 등의 영양소가 시금치보다 두 배나 많아 어린이 성장
발육에 좋습니다. 또 채소 중 칼륨 함유량이 가장 높아 자라나는 어린이의 골격 형성에 도움
을 주고, 생리중인 여성의 날카로운 신경과 불안감을 가라앉히는 데도 효과가 있습니다.

# 콩나물밥

콩나물을 넉넉히 넣고 밥을 지어 양념장에 비벼먹는 별미밥. 맑게 끓인 국물과 함께 내면 잘 어울려요.
입맛 없을 때 간단히 준비하는 한 그릇 요리로 안성맞춤입니다.

**들어가는 재료**
불린 쌀 3컵, 콩나물 300g, 돼지고기 100g, 물 3컵, 송송 썬 실파 조금
**돼지고기 밑간** 간장·청주 1/2큰술씩
**양념장** 간장 5큰술, 고춧가루 2큰술, 다진 풋고추·다진 파 2큰술씩, 다진 마늘 1작은술, 참기름 1큰술, 깨소금·소금 1작은술씩, 물 1/2컵

1 **돼지고기 밑간하기**  돼지고기를 잘게 썰어 청주와 간장으로 밑간한다.

2 **콩나물 준비하기**  콩나물은 깨끗이 씻어 건진다.

3 **밥 안치기**  솥에 콩나물을 반 담고 쌀을 얹은 뒤 고기와 콩나물을 번갈아 얹고 물을 붓는다.

4 **뜸들이기**  처음에 불을 세게 하여 끓이다가 콩나물이 익는 냄새가 나면 불을 약하게 줄여 뜸을 들인다.

5 **양념장 곁들이기**  콩나물밥을 그릇에 담고 송송 썬 실파를 뿌린 다음 양념장을 만들어 곁들인다.

··· 콩나물밥은 재료에서 물이 나오기 때문에 평소보다 밥물을 적게 잡아야 해요.

 **영양 이야기**  치매를 막는 레시틴이 풍부해요

콩나물은 사포닌이 들어 있어 콜레스테롤을 줄이고 고혈압, 동맥경화 등을 막아요. 치매를
막는 레시틴과 유방암, 골다공증 등을 막는 이소플라본도 들어 있지요. 알코올을 분해하는
아스파라긴산은 잔뿌리에 많으므로 숙취 해소를 위해서라면 잔뿌리를 다듬지 마세요.

# 참나물파스타

향긋한 참나물과 깔끔한 맛이 매력인 파스타예요. 올리브오일과 구운 마늘,
참나물의 향이 어우러져 맛이 풍부해요.

**들어가는 재료**
스파게티 300g, 참나물 100g, 마늘 10쪽, 소금·후춧가루 조금씩, 올리브오일 적당량
**홍합스톡** 홍합 200g, 화이트와인 2작은술, 소금 조금, 물 6컵

1 **참나물·마늘 준비하기** 참나물은 씻어 먹기 좋게 썰고, 마늘은 저민다.

2 **스파게티 삶기** 끓는 물에 스파게티를 10분 정도 삶아 체에 받쳐 물기를 뺀다.

3 **홍합스톡 만들기** 냄비에 물과 화이트와인, 손질한 홍합을 넣어 끓이다가 소금으로 간한다.

4 **소스 만들기** 팬에 올리브오일을 두르고 저민 마늘을 볶아 향을 낸 뒤 홍합스톡을 넣고 끓인다. 소금과 후춧
　가루로 간을 한다.

5 **스파게티 넣어 볶기** ④에 스파게티를 넣어 볶다가 참나물을 넣고 올리브오일을 둘러 좀 더 볶는다.

6 **참나물 올리기** 스파게티를 그릇에 담고 생 참나물을 올린다.

**영양 이야기** 눈에 좋은 베타카로틴이 풍부해요

참나물은 비타민, 철분, 칼슘 등이 풍부해 어린이의 성장을 돕고 피부 미용에도 좋아요.
베타카로틴이 많아 안구건조증 예방에도 도움이 됩니다. 고혈압과 중풍을 막고, 신경통에
효과 있는 것으로 알려져 있어요.

# 우거지주먹밥

된장으로 양념한 우거지주먹밥은 구수한 맛이
일품이에요. 한 입에 쏙 들어가는 크기로 만들면
아이들 간식이나 도시락으로 좋아요.

**들어가는 재료**

밥 4공기, 열무 300g, 다진 쇠고기 100g, 된장 2큰술,
참기름 1큰술, 소금 조금
**쇠고기 양념** 간장 1/2큰술, 청주 2작은술, 설탕 1작은술,
다진 마늘 1/2작은술, 소금·후춧가루 조금씩

1 **열무 삶아 볶기**   열무는 뿌리를 자르고 시든 잎을 떼어낸 뒤 깨끗이 씻어 끓는 물에 데친다. 물기를 꼭 짜서
   송송 썰어 달군 팬에 참기름을 두르고 소금으로 간해 볶는다.

2 **쇠고기 볶기**   다진 쇠고기를 양념해 달군 팬에 볶는다.

3 **열무·쇠고기 볶기**   볶은 열무와 쇠고기를 함께 한 번 더 볶는다.

4 **된장에 무치기**   볶은 열무와 쇠고기에 된장을 넣고 고루 버무려 간이 배게 한다.

5 **밥 섞어 뭉치기**   넓은 그릇에 밥을 담고 ④의 우거지무침을 넣어 고루 섞은 뒤 동그랗게 뭉친다.

• • • 주먹밥이나 볶음밥을 만들 때는 밥을 고슬고슬하게 지어야 밥을 뭉치거나 볶을 때 밥알이 깨지지 않고 모양이 잘 잡혀요.

 **영양 이야기**   영양이 우수한 저칼로리 식품이에요

열무에는 비타민 C와 A가 풍부해 면역력을 키우고 눈 점막과 피부, 모
발 등을 건강하게 지켜 줍니다. 사포닌이 많아 고혈압, 저혈압 같은
성인병 예방에도 좋아요. 또한 전분을 분해하는 효소와 식이섬유가 풍
부해 소화기능을 향상시켜 줍니다.

# 나물김밥

햄 대신 시금치나물, 도라지나물, 고사리나물을
넣어 돌돌 만 김밥. 맛과 영양도 좋고 소화도
잘 돼요. 세 가지 색이 곱게 어우러져 모양도 예뻐요.

**들어가는 재료**
김 3장, 밥 3공기, 고사리 120g, 도라지 150g, 시금치 200g,
소금 조금, 식용유 적당량
**고사리 양념** 국간장 1/2큰술, 다진 마늘 1작은술,
참기름·깨소금 1작은술씩
**도라지·시금치 양념** 소금 1큰술,
다진 마늘·참기름·깨소금 1큰술씩
**밥 양념** 소금 1작은술, 설탕·참기름 조금씩

1 **고사리나물 준비하기** 고사리를 끓는 물에 데쳐 헹군 뒤 물기를 꼭 짜서 5cm 길이로 썰어 양념에 무친다.
   식용유를 두른 팬에 양념한 고사리를 볶아 식힌다.

2 **도라지나물 준비하기** 도라지는 껍질을 벗겨 가늘게 가른 뒤 굵은 소금으로 주물러 쓴맛을 뺀다. 두세 번
   헹궈 끓는 물에 데친다. 식용유를 두른 팬에 도라지 양념을 반 덜어 넣고 볶아 식힌다.

3 **시금치나물 준비하기** 시금치는 소금을 넣고 데쳐 찬물에 헹군다. 물기를 꼭 짜서 나머지 양념에 무친다.

4 **밥 양념하기** 고슬고슬하게 지은 밥에 양념을 넣고 주걱으로 고루 섞는다.

5 **김밥 말기** 김을 살짝 구워 김발에 올리고 밥을 편 다음 준비한 나물을 얹고 돌돌 말아 먹기 좋게 썬다.

• • • 도라지는 쓴맛이 있으니 소금으로 주무르거나 소금물에 담가 두어 쓴맛을 빼세요.

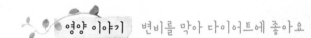

**영양 이야기** 변비를 막아 다이어트에 좋아요
고사리는 단백질과 칼슘, 칼륨 등의 미네랄이 많아요. 도라지는 면역력
을 높이고 항암 효과가 있는 사포닌이 들어 있고, 시금치는 비타민
A·B·C가 모두 풍부하지요. 또 세 가지 나물 다 식이섬유가 많아
변비를 막고 다이어트에 좋아요.

# 고사리전

고사리를 달걀물에 적셔 노릇노릇하게 지진
전이에요. 고사리 전은 씹는 맛이 좋아서 고기전
대신 많이 먹어요.

**들어가는 재료**
고사리 200g, 밀가루 1컵, 달걀 4개, 식용유 적당량
**고사리 양념** 간장 2큰술, 참기름 1큰술
**양념장** 간장·식초·물 2큰술씩, 설탕·깨소금 조금씩

1  **고사리 썰기**  고사리를 깨끗이 씻어 물기를 짠 다음 1cm 길이로 썬다.

2  **양념하기**  고사리에 간장과 참기름을 넣어 무친다.

3  **옷 입혀 지지기**  고사리를 동글납작하게 빚어 밀가루를 묻히고 달걀옷을 입혀 식용유를 두른 팬에 노릇하게
   지진다.

4  **양념장 곁들이기**  고사리전을 접시에 담고 양념장을 곁들인다.

 **영양 이야기**  질병에 잘 걸리지 않게 해요

고사리는 산에서 나는 쇠고기라 할 만큼 단백질이 풍부해요. 탄수화
물, 미네랄, 식이섬유 등도 많이 들어 있지요. 미네랄이 질병에 잘 걸
리지 않도록 면역력을 높여 주고, 머리를 맑게 하는 효과가 있어 수험
생에게 좋아요.

# 두릅적

두릅을 살짝 데쳐 고기와 함께 꼬치에 꿰어
지져낸 누름적이에요. 독특한 맛과 향이 매력적인
봄철 별미입니다.

**들어가는 재료**
두릅 300g, 쇠고기 150g, 밀가루 3큰술, 달걀 2개,
소금 조금, 식용유 적당량
**두릅 양념** 참기름 1/2큰술, 소금 1작은술, 후춧가루 조금
**쇠고기 양념** 간장 1½큰술, 설탕 2작은술, 다진 파 2작은술,
다진 마늘 1작은술, 참기름·깨소금 1작은술씩
**초간장** 간장·식초·물 2큰술씩

1 **두릅 데쳐 양념하기** 두릅은 딱딱한 밑동을 떼고 씻는다. 끓는 물에 소금을 넣고 데쳐 양념한다.

2 **쇠고기 양념하기** 쇠고기는 살코기로 준비해 0.7cm 두께로 큼직하게 저며 썬다. 잔칼질을 한 뒤 6cm 길이로 길게 썰어 양념한다.

3 **꼬치에 꿰어 지지기** 꼬치에 두릅과 고기를 번갈아 꿰어 밀가루를 고루 묻히고 달걀물에 담갔다가 식용유를 두른 팬에 앞뒤로 지진다.

4 **초간장 곁들이기** 초간장을 만들어 두릅적에 곁들인다.

• • • 꼬치에 꿰는 음식은 크기와 굵기가 일정해야 고르게 익어요. 너무 굵은 두릅은 반 가르고 긴 것은 끝을 잘라 길이를 맞추세요. 고기는 익으면서 줄어드니까 두릅보다 조금 길게 써는 게 좋아요.

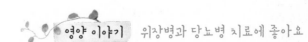 **영양 이야기** 위장병과 당뇨병 치료에 좋아요
채소로는 드물게 단백질이 많고 비타민 C, 미네랄, 식이섬유 등이
풍부해요. 위장병 치료에 도움이 되고, 혈당치를 낮춰 당뇨병 환자에
게도 좋아요. 불안하고 초조한 마음을 안정시키는 효과도 있어요.

# 쑥개떡

둥글넓적하게 빚어 찐 서민적인 떡을 '개떡' 이라고
해요. 멥쌀에 데친 쑥을 넣어 만든 쑥개떡은
은은한 쑥 향이 좋습니다.

**들어가는 재료**

멥쌀 5컵, 쑥 300g, 소금 1큰술, 뜨거운 물 1/2컵, 참기름 3큰술

1 **멥쌀·쑥 준비하기** 멥쌀은 씻어서 3시간 이상 불려 건진다. 쑥은 연한 잎만 떼어 끓는 소금물에 데친 뒤 찬물
  에 여러 번 헹구어 물기를 꼭 짠다.

2 **멥쌀·쑥 갈기** 불린 쌀과 데친 쑥, 소금을 믹서에 넣어 곱게 간다.

3 **떡 반죽하기** ②의 가루에 뜨거운 물을 부어 가며 익반죽하고 여러 번 치대면서 반죽한다.

4 **모양 만들기** 반죽을 알맞은 크기로 떼어 지름 10cm의 동글납작한 쑥개떡을 빚는다.

5 **쪄서 참기름 바르기** 김 오른 찜통에 면 보자기를 깔고 ④의 반죽을 올려서 찐다. 익으면 꺼내서 참기름을
  바른다.

••• 쑥을 갈 때 줄기를 함께 넣으면 믹서의 칼날에 엉켜서 잘 갈리지 않아요. 연한 잎만 넣어야 잘 갈아지고 쑵쓸하지 않습니다.

**영양 이야기** 소화액의 분비를 왕성하게 해요

쑥에는 단백질, 탄수화물, 칼슘, 비타민 A 등이 풍부하게 들어 있어요.
쑥 80g만 먹으면 비타민 A의 하루 권장량을 모두 섭취하게 됩니다. 쑥
에서 독특한 향기가 나는 것은 치네올이란 정유 성분 때문인데 소화액
의 분비를 왕성하게 해 소화를 도와요.

# 쑥콩가루국

어린 쑥에 날콩가루를 묻혀 끓인 토장국이에요.
봄에 먹는 계절 음식이지만 쑥을 데쳐서 냉동실에
넣어 두면 맛과 향이 유지돼 사계절 내내 즐길 수
있어요.

**들어가는 재료**
어린 쑥 300g, 날콩가루 1/2컵, 된장 2큰술, 국간장 1큰술,
다진 파 2큰술, 다진 마늘 1큰술, 소금 조금
**멸치다시마국물** 굵은 멸치 10마리, 다시마 5×5cm 1장,
쌀뜨물 3컵

1 **콩가루로 쑥 버무리기** 어린 쑥을 손질해 깨끗이 씻어 건져 콩가루로 버무린다.

2 **국물 만들기** 쌀뜨물에 머리와 내장을 뗀 멸치와 다시마를 넣어 끓인다.

3 **된장 풀고 쑥 넣기** 멸치다시마국물에 된장을 체에 밭쳐 풀고 한소끔 끓인 뒤 콩가루 묻힌 쑥을 넣는다.

4 **파·마늘 넣고 간 맞추기** 쑥 향이 퍼지기 시작하면 다진 파, 다진 마늘을 넣고 국간장으로 간을 맞춰 20분
쯤 끓인다. 모자라는 간은 소금으로 맞춘다.

••• 쑥으로 애탕을 끓여도 맛있어요. 향이 은은하고 맛이 깔끔해 손님상에 내놓기 좋습니다. 다진 쑥과 고기를 섞어 빚은 완자에 달걀물을
입혀 맑은 쇠고기국물에 넣고 끓이면 돼요.

 **영양 이야기** 피로를 풀고 면역력을 길러 줘요

비타민 A와 C, 미네랄이 풍부한 쑥은 체질 개선과 시력 보호, 감기 예방
에 효과가 있어요. 피로를 풀고 면역력을 기르며 살균 작용도 하지요.
따뜻한 성질을 가지고 있어 몸이 찬 사람이 먹으면 좋습니다.

# 찾아보기

## 양념별

# 리스컴이 펴낸 책들

대한민국 대표 요리책

## 한복선의 엄마의 밥상

최고의 요리전문가 한복선 선생님이 알려주는 엄마 손맛의 비결. 매일 먹어도 맛있는 별미반찬, 제대로 끓여 더 맛있는 국·찌개·전골, 한 그릇으로 한 끼, 우리 집 별식, 김치·장아찌·피클 등 일상요리가 다 들어 있다. 특히 식품의 단위 어림치, 양념장과 소스제 맛내기 비결, 채소·해물 고르기와 손질·보관요령, 고기 부위별 맛내기와 조림·볶음·구이·무침·찜 등 반찬 만들기 기본 테크닉 등 국물요리 맛내기 등이 이론 페이지에 자세히 소개되어 있다.

한복선 지음 | 280쪽 | 210×265mm | 13,000원

건강 체질로 만들어주는

## 똑똑한 아침밥상

맛있고 영양 많고 차리기 쉬운 아침밥 레시피 195가지. 아침식사를 꼬박꼬박 챙겨 먹기 쉽지 않은 현대인들을 위해 따끈한 밥과 국, 후루룩 먹기 좋은 죽과 수프, 간단히 준비하는 빵과 샐러드, 시간 없을 때 먹기 좋은 샌드위치와 주먹밥, 신선한 채소와 과일로 만드는 간단한 주스까지 한 권에 담았다. 주말 아침에 즐기는 여유로운 브런치도 빼놓지 않았다. 〈아침밥상〉과 함께 건강을 지키고 입맛까지 살리는 특별한 아침을 맞이하자.

리스컴 편집부 | 188쪽 | 190×260mm | 11,500원

한 입에 쏙~ 사랑의 도시락

## 김밥·주먹밥·롤 & 샌드위치

'만들기 쉽고, 갖고 다니기 간편하며, 먹기도 편한' 도시락 메뉴 70가지가 수록된 책. 별미 김밥에서부터 주먹밥, 초밥, 샌드위치, 캘리포니아 롤 등 도시락의 모든 것이 다 들어 있다. 아울러 이 책은 각 파트의 끝부분에 밥 짓기에서부터 밥에 양념하기, 김밥 말기, 배합초 버무리기, 초밥 및 모양 빚기 등 김밥, 주먹밥, 샌드위치 만들기, 캘리포니아 롤의 기초 테크닉을 꼼꼼하게 소개했다.

최승주 지음 | 160쪽 | 210×275mm | 9,800원

후다닥 만들어 럭셔리하게 즐긴다

## 홈메이드 샌드위치 74가지

초보자들도 쉽게 만들 수 있는 메뉴부터 전문점 못지않은 럭셔리한 종류까지 74가지의 다양한 샌드위치를 스피드 샌드위치, 럭셔리 샌드위치, 전문점 인기 샌드위치 등으로 나누어 소개한 책. 입소문난 샌드위치 전문점의 인기 메뉴 조리법도 실려 있어 집에서도 특별한 맛을 낼 수 있게 도와준다. 이밖에 맛내기 비법, 칼로리 낮추는 요령, 포장법 등의 정보들이 솜씨를 더하는 데 도움이 된다.

안영숙 지음 | 140쪽 | 190×260mm | 8,500원

최고의 브런치 카페에서 추천한 인기 메뉴 57가지

## 잇 스타일 브런치

서울시내 대표 브런치 카페와 인기 브런치 레시피를 알려주는 카페 가이드북 겸 요리책. 브런치를 유행시킨 '수지스'를 비롯해 PSC그룹에서 운영하는 '퀸즈파크', 유명 스타들의 단골 레스토랑 '다이닝텐트', 효자동의 '카페 고희'등 유명 브런치 카페의 자세한 소개와 사진이 담겨 있다. 뿐만 아니라 간단한 토스트에서부터 럭셔리한 스테이크 요리까지 다양한 브런치 레시피가 총망라되어 있다.

리스컴 편집부 | 180쪽 | 180×260mm | 11,000원

인기 디저트 카페의 스위트 레시피

## 달콤한 나의 디저트

소문난 맛집 블로거 '밀이'가 추천하는 디저트 카페 15곳을 소개한 책. 인테리어, 위치, 메뉴 등의 카페 이용 정보는 물론 그 곳의 인기 디저트 메뉴 40여 가지의 레시피를 공개해 집에서도 카페 디저트를 즐길 수 있게 했다. 상세한 과정 사진과 생소한 재료에 대한 정보, 유용한 쿠킹 팁까지 친절하게 설명해 누구나 손쉽게 따라 만들 수 있다. 나라별 디저트, 함께 즐기기 좋은 음료와 와인, 빵맛 좋기로 소문난 베이커리 카페와 디저트 뷔페 등도 소개되어 있다.

이미리 지음 | 176쪽 | 180×260mm | 11,000원

소문난 음식점 인기 메뉴 맛내기

## 자신만만 세계요리

파스타와 리조토, 자장면, 돈가스처럼 대중적인 메뉴에서부터 베트남 쌀국수, 케사디야, 오코노미야키, 달팽이요리에 이르기까지 누구나 좋아하는 외식 메뉴 55가지를 소개한 책. 세계적으로 유명한 이탈리아, 프랑스, 중국, 일본, 베트남, 인도, 멕시코 등 각국의 요리와 함께 이들을 대표하는 소문난 레스토랑의 인기 메뉴 맛내기 비법이 담겨 있다. 주말 별미가 당길 때, 손님상에 멋진 요리를 내고 싶을 때 따라해 보면 좋은 요리가 가득하다.

세계요리 레스토랑 | 144쪽 | 210×265mm | 8,800원

구본길 대가의 비법 전수

## 온 가족이 즐거운 주말요리

온가족이 모이는 주말에 아이들과 요리를 해보자. 음식을 만드는 동안 가족 간에 사랑이 솟아난다. '사랑하는 아이들과 함께하는 요리', '아내를 위한 폼 나는 요리', '칭찬 받는 손님초대 요리' 등 다양한 상황에 맞게 구성한 요리 레시피에는 요리의 대가 구본길 조리장의 비법이 자세히 담겨 있다. 요리에 서툰 사람들을 위해 재료 손질법, 장보기, 밥 짓기 등 기본 요리 상식을 자세히 설명하고 와인이나 치즈, 향신료, 분위기 있는 레스토랑 정보 등도 함께 실었다.

구본길 지음 | 208쪽 | 210×265mm | 12,000원

요리연구가 최승주와 스타셰프 박찬일의

# 이탈리아 요리

인기 주부 요리연구가 최승주와 유명 이탈리안 레스토랑 셰프 박찬일의 도움으로 자신 있게 이탈리아 요리에 도전해 보자. 다양한 파스타와 피자, 리조토에서부터 그라탱, 카르파치오, 뇨키까지 웬만한 이탈리아 요리가 이 책 한 권에 모두 있다. 요리하면서 부딪히기 쉬운 문제점과 궁금증을 꼼꼼하게 짚어줘 초보자라도 막힘없이 요리할 수 있다. 이탈리아 요리의 기본 상식과 소스, 향신료, 이탈리아 와인과 치즈 등 다양한 정보가 있다.

**최승주 · 박찬일 지음 | 152쪽 | 190×260mm | 9,800원**

프라이팬 하나로 만드는

# 아주 쉬운 프랑스 요리

구하기 쉬운 재료로 가정에서 쉽게 만들 수 있는 프랑스 요리를 소개한 책. 맥심 레스토랑 총주방장을 거쳐 프랑스 요리학교 르 코르동 블루 도쿄분원과 서울분원 교장을 지낸 다니엘 마르탱 씨가 한국과 일본 독자들을 위해 만들었다. 메인요리를 살려주는 오르되브르, 식감을 즐기는 고기요리, 스타일로 눈길끄는 생선요리, 쉽게 만드는 달콤한 디저트 등 4개의 파트로 나뉘어 거의 모든 프랑스 요리가 소개되어 있다.

**다니엘 마르탱 지음 | 112쪽 | 180×260mm | 12,000원**

5천만의 외식 메뉴

# 양향자의 중국요리

가족 외식으로, 손님상 요리로 최고인 중국요리를 집에서 쉽고 맛있게 즐길 수 있도록 돕는 요리책. 아이들 좋아하는 짜장면과 탕수육은 물론 손님상 요리, 면 요리와 밥 요리, 후식과 간식, 중국 가정식, 퓨전 중국요리까지 다양한 요리가 가득하다. 레시피 또한 홈메이드에 맞게 보완해 집에서 쉽게 만들 수 있다. 재료 고르기와 조리도구, 맛내기 포인트는 물론 손님상을 차릴 때 메뉴 짜는 요령과 식사 매너까지 알려준다.

**양향자 지음 | 200쪽 | 210×275mm | 13,000원**

한국인이 즐겨 먹는 대표 한국요리

# Korean Kitchen 코리안 키친(하드커버)

한국인이 즐겨 먹는 음식 120여 가지의 레시피를 담은 요리책. 미국 시카고에서 35년간 생활한 교포 유소연 씨와 며느리 유(이)정화씨가 함께 요리하고 영문과 한글로 레시피를 실었다. 본문은 애피타이저, 샐러드, 육류와 해산물(메인요리), 국과 찌개, 밥, 국수와 떡볶이, 반찬, 디저트 등 8개 챕터로 나누어 멋지고 먹음직스러운 요리 사진과 음식 만들기 방법을 담았다. 교포들은 물론 외국인들에게 선물하기에 좋다.

**유소연 · 유정화 지음 | 246쪽 | 210×265mm | 25,000원**

스타일리시 손님 초대요리

# 노다 상영의 손님상 차리기

신사동 가로수길에서 최고의 음식점으로 꼽히는 〈노다보울〉의 요리사 김노다와 가장 트렌디한 푸드스타일리스트 김상영 부부의 솜씨가 어우러진 테마 요리책. 1년 내내 활용할 수 있는 손님초대 요리와 정보들을 모아 주제별, 상황별로 다양한 모임에 응용할 수 있다. 애피타이저, 메인요리, 핑거 푸드, 디저트, 브런치 등으로 테마를 나누어 한식, 중식, 일식, 양식을 아우르는 퓨전 요리 레시피 73가지가 멋스럽게 담겨 있다.

**김노다 · 김상영 지음 | 192쪽 | 210×275mm | 13,000원**

스타일리시 퓨전 푸드

# 캘리포니아 롤 & 스시

유명한 롤 & 스시 전문점 8곳에서 제공하는 다양한 스타일의 롤과 스시 레시피 58가지를 담은 퓨전 요리책. 캘리포니아 롤은 모양도 예쁘고 맛도 좋아 인기가 매우 높다. 이 책은 고급 일식 레스토랑에서나 만날 수 있는 롤과 스시, 마끼 등을 가정에서도 즐길 수 있도록 쉽고 자세하게 풀어 설명했다. 우리나라 최고 셰프들의 쿠킹 노하우를 통해 기본부터 응용까지, 롤과 스시에 대한 모든 것을 배울 수 있다.

**롤 전문 레스토랑 | 136쪽 | 190×235mm | 9,800원**

대한민국 대표 요리책

# 후다닥 한 끼

바쁘게 살아가는 맞벌이 부부, 혼자 사는 싱글족들을 위해 후다닥 만들어 맛있게 즐길 수 있는 요리들을 모은 책. 쉽게 만들 수 있으면서 영양만점인 웰빙 레시피들이 대부분이다. 스피드 일품요리, 후루룩 국 · 찌개, 건강을 생각한 요리, 다이어트 요리, 손님초대 & 술안주, 출출할 때 간식, 칭찬받는 선물요리 등의 파트로 나누어 모두 200여 가지의 요리가 담겨 있다. 이제 나와 내 가족의 건강을 위해 밥은 집에서 해먹고 다니자!

**김경미 지음 | 224쪽 | 210×255mm | 11,000원**

나를 위한 행복 밥상

# 싱글 요리

〈싱글요리〉는 소문난 인기 블로거 '갱씨'가 초간단 레시피 58가지를 공개한 책이다. 싱글들의 몸과 마음을 채워주는 든든한 한 끼 요리, 친구들과 함께 술안주로 먹으면 좋은 파티요리, 주머니가 가벼울 때 만만한 요리, 귀차니스트를 위한 간단 브런치, 기분이 좋아지는 달콤 디저트로 나누어 다양한 요리를 소개했다. 이외에 라면 백과사전, 싱큼달콤 칵테일 만들기, 입안에 쏙~ 사랑 한 입 도시락 싸기, 망친 빵의 무한변신 등 알찬 정보가 가득하다.

**김경미 지음 | 144쪽 | 180×260 | 9,800원**

### 천연 효모가 살아있는

## 천연 발효빵

맛있고 몸에 좋은 천연발효빵을 소개한 책. 단순한 홈 베이킹의 수준을 넘어 건강한 빵을 찾는 웰빙족을 위한 베이킹 책으로 과일, 채소, 곡물 등으로 만드는 천연 발효종 20가지와 천연 발효종으로 굽는 건강빵 레시피 62가지가 담겨 있다. 초보자도 집에서 쉽게 만들 수 있는 꼼꼼한 설명이 특징이며 모닝롤, 소보로빵, 카레빵, 참깨빵 등 누구나 좋아하는 인기 빵들로 가득하다.

**고상진 지음 | 200쪽 | 210×275mm | 13,000원**

### 천연재료로 만들어 더 맛있다

## 내가 만드는 아이스크림

인공첨가물 걱정 없이 안전하고 맛있게 즐기는 웰빙 홈메이드 아이스크림 책. 인기 아이스크림과 셔벗, 소르베, 그라니타는 물론 아이스크림으로 만드는 튀김, 파이, 컵케이크 등 다양한 아이스크림 레시피를 소개하고 있다. 유명 아이스크림 전문점의 인기 메뉴까지 담아 집에서도 특별한 맛을 낼 수 있도록 했다. 누구나 쉽게 따라 할 수 있는 간단한 레시피로 초보자들도 얼마든지 맛과 영양이 뛰어난 홈메이드 아이스크림을 즐길 수 있도록 돕는다.

**이지은 지음 | 144쪽 | 190×245mm | 11,200원**

### 구본길 조리장에게 배우는

## 과일 야채 예쁘게 모양내기

30여 가지의 과일과 야채를 예쁘고 먹기 좋게 깎을 수 있도록 소개한 책. 꽃·동물·나뭇잎·사탕 모양 등 60여 가지의 다양한 깎기와 모양내기 방법을 과정 사진과 함께 자세히 알려준다. ▲과일 예쁘고 먹기 좋게 깎기 ▲손님상·아이 생일파티 등 상황에 따른 과일 디저트 준비 ▲과일음료·아이스크림 만들기 ▲과일잼·과일차 담그기 ▲과일주·칵테일 만들기 ▲야채 예쁘게 장식하기 등 6파트로 구성되어 있다.

**구본길 지음 | 144쪽 | 190×215mm | 8,900원**

### 라면으로 안 되는 게 어딨니?

## 세상의 모든 라면요리

온라인 카페 '라면천국' 회원들이 소개한 '세상에서 제일 맛있는' 라면의 모든 것. 신선하면서도 아이디어 넘치는 라면 요리법은 물론, 라면에 얽힌 재미있는 상식과 에피소드, 라면 맛있고 건강하게 끓여 먹는 노하우, 우리나라 라면의 역사, 세계의 다양한 라면, 라면에 대한 궁금증 등 유익하고 재미있는 라면 관련 이야기가 가득하다. 우리가 미처 상상도 못했던 멋지고 그럴듯한 라면요리 70가지가 국물요리, 볶음요리, 간식 및 술안주 등으로 나누어 먹음직스러운 사진과 함께 자세히 실려 있다.

**라면천국 지음 | 160쪽 | 160×215mm | 9,800원**

### 맛있는 다이어트

## 닭가슴살 요리 60

샐러드, 구이, 한 그릇 요리, 도시락 등 쉽고 맛있는 닭가슴살 요리 60가지를 소개한 책. 김밥, 전, 파스타 등 인기 메뉴부터 별미로 즐길 수 있는 개성 만점 메뉴까지 소개해 매일매일 색다른 맛을 즐길 수 있다. 영양과 다이어트를 함께 생각한 맞춤 레시피로 날씬해지고 싶은 여자들과 몸짱을 꿈꾸는 남자들은 물론 아이들 영양식으로도 좋다. 어울리는 재료, 냄새 없이 삶는 방법 등 닭가슴살 요리의 기본 요령을 설명해 초보자도 쉽게 맛과 영양을 살릴 수 있다.

**이양지 지음 | 144쪽 | 210×265mm | 11,500원**

### 내 몸 상태에 따라 마시는 건강주스

## 몸에 좋은 과일·야채주스

몸에 좋은 건강 음료 140여 가지를 소개한 책. ▲비타민과 미네랄, 섬유질이 풍부한 생야채 녹즙 ▲각종 유기산과 비타민 C가 풍부한 과일주스 ▲단백질과 불포화 지방산, 비타민 B₁·B₂, 미네랄이 풍부한 곡물음료 ▲신경 안정과 질병 개선을 돕는 한방차 만드는 방법을 알려준다. 이밖에 증세에 따른 녹즙·과일주스·한방차 마시기, 아침·점심·저녁에 마시는 주스, 체질 따라 한방차 마시기 등의 정보도 들어있다.

**김경분 지음 | 136쪽 | 190×255mm | 9,800원**

### 마음껏 먹고 날씬해지는

## 마법의 다이어트 레시피

다이어트는 물론 탄력 있고 균형 잡힌 몸매를 만들어주는 요리책. 단백질 등 영양을 챙기고 나트륨 등 다이어트의 방해 요소들을 줄인 새로운 레시피로 건강하고 스트레스 없는 다이어트를 돕는다. 아침, 점심, 저녁의 한 끼 메뉴와 입맛 살리는 별식, 간편 도시락, 부담 없는 간식 등 체험을 통해 얻은 쉽고 맛있는 메뉴들이 가득하다. 메뉴마다 다이어트 포인트와 칼로리, 영양성분을 표시한 것도 특징이다.

**박지은 지음 | 200쪽 | 180×260mm | 12,000원**

### 와인 & 칵테일… 세상 모든 술

## 한 권에 다 있다

와인의 유래부터 와인 고르는 법, 라벨 읽는 법, 주문하는 법, 마시는 법 등이 자세히 설명된 실용지침서. 일반인의 기호를 토대로 소믈리에가 추천한 와인 리스트로 와인을 성공적으로 고를 수 있도록 도와준다. 여기에 인기 칵테일 57개의 레시피와 위스키, 보드카, 브랜디, 데킬라 등 양주에 대한 정보도 덧붙였다. 선물용 와인 고르기, 이름으로 알 수 있는 와인 구별법, 와인바 & 와인숍 가이드, 나에게 맞는 칵테일 고르기 등 알찬 정보가 가득 담겨 있다.

**김일호 지음 | 168쪽 | 170×210mm | 8,800원**

## so hot, so beautiful TOKYO
# 8일간의 도쿄 여행

도쿄의 핫스팟을 가구라자카, 지유가오카, 다이칸야마 등 8개의 지역으로 나누어 하루에 한 지역씩 돌아보는 형식으로 소개한 책. 네이버에 오픈캐스트를 제공하는 파워 블로거이자 '도쿄라이프' 카페 운영자이기도 한 저자 남은주 씨가 도쿄의 보물 같은 숍들과 카페, 맛집 위주로 엮었다. 아기자기한 숍들과 앙증맞은 소품들, 분위기 가득한 카페들에 대한 정보가 예쁜 사진과 함께 가득 담겨 있다.

**남은주 지음 | 222쪽 | 150×205mm | 12,000원**

## 알면 알수록 좋아지는 도시 런던, 느리게 즐기기
# 런던을 거닐다

〈씨네 21〉 기자 출신 영화학도 손주연의 런던 여행에세이. 섬세한 감수성으로 런던의 명소 곳곳을 세밀하게 묘사해 전문 가이드북과는 다른 볼거리와 매력을 느낄 수 있다. 8개의 테마로 나누어 런던의 역사와 문학, 문화, 예술, 축제, 쇼핑 등의 정보를 고루 담았다. 그밖에 런던의 공원과 궁전, 멋진 야경을 선사하는 곳, 런던의 유명 맛집, 펍, 거리, 머물 수 있는 숙소 등은 여행자에게 유용하다.

**손주연 지음 | 240쪽 | 150×205mm | 13,000원**

## 맛있는 점심 · 즐거운 저녁
# 유지상의 테마 맛집

중앙일보 시절 음식전문 기자로 활동했던 저자가 지난 10년간 취재한 음식점을 선별한 601곳의 맛집 가이드북. 다양한 목적의 만남에 어울리는 맛집을 사진과 함께 소개했다. 품격 맛집, 알짜 맛집, 전통 맛집, 해장 맛집, 건강 맛집, 분위기 멋집, 회식 맛집, 외식 맛집, 외국음식점, 와인바, 디저트와 카페 등 11개 테마로 구성했다. 상세한 인덱스와 지도, 다양한 보너스 정보 페이지가 알차게 담겨 있다. 수도권 전국 100대 맛집도 부록으로 실었다.

**유지상 지음 | 336쪽 | 140×225mm | 13,500원**

## 슬로푸드를 찾아 떠난 유럽 미식기행
# 씨즐, 삶을 요리하다

저자가 직접 부딪히고 오감으로 체험한 유럽의 음식문화 여행기. 미식의 도시 이탈리아 파르마를 비롯해 볼로네제 스파게티와 젤라토의 본고장 볼로냐, 명품 발사믹식초 생산지 모데나, 패션과 음식의 조화를 경험하는 밀라노, 풍요로운 음식문화의 토스카나, 세계 음식의 유행을 이끄는 스페인, 그리스 음식의 출발지 크레타, 섬세하고 화려한 오트 퀴진의 프랑스 등에서 저자가 맛보고 경험한 슬로푸드 이야기에 빠져 보자.

**노민영 지음 | 296쪽 | 148×210mm | 13,500원**

## 산부인과 의사가 들려주는 임신 출산의 모든 것
# 똑똑하고 건강한 첫 임신 출산

임신 전 계획부터 산후조리까지 현대를 살아가는 임신부를 위한 똑똑한 임신 출산 교과서. 20년 산부인과 전문의가 인터넷 상담, 방송 출연 등을 통해 임신부들이 가장 궁금해 하는 것과 꼭 알아야 것들을 모두 알려 준다. 계획 임신, 개월 수에 따른 엄마와 태아의 변화, 임신부의 영양과 운동, 안전한 출산을 위한 준비 등을 꼼꼼하게 짚어 임신 기간을 건강하고 안전하게 보낼 수 있도록 돕는다.

**김건오 지음 | 304쪽 | 190×230mm | 15,000원**

## 예비엄마 아빠를 위한 임신 가이드
# 임신 출산 매뉴얼

핸드백 속에 넣어가지고 다니면서 볼 수 있는 앙증맞은 크기의 임신 가이드북. ▲준비되었나요? 임신입니다! ▲임신 1기 ▲임신 2기 ▲임신 3기 ▲신생아 용품과 아기방 ▲예비아빠들이 알아야 해요 ▲아기가 태어났어요! ▲이제 엄마랍니다! 등으로 나누어 임신부가 알아야 할 기본 상식을 차근차근 알려준다. 산부인과 의사가 환자에게 들려주듯이 쓴 '의사의 한 마디', 예비아빠들을 위한 '아빠만 보세요' 등 알찬 정보가 가득 담겨 있다.

**사라 조던 · 데이비드 우프버그 지음 | 서예진 옮김 | 240쪽 | 140×185mm | 11,000원**

## 내가 만드는 행복한 결혼 준비
# 마이 웨딩 플래너

예비 신랑신부의 결혼에 대한 걱정과 스트레스를 줄여주고, 궁금증을 덜어주는 책. 상견례부터 결혼식 당일 체크리스트까지 신랑신부들이 결혼 준비를 할 때 가장 궁금해 하는 내용을 자세하게 담았다. 결혼을 위한 양가의 만남에서부터 결혼식과 신혼여행, 신혼여행 후 인사 다니기에 이르기까지 결혼에 관한 모든 절차와 방법이 나와 있다. 결혼식 100일 전부터 당일까지 준비해야할 사항을 표로 정리해 한눈에 볼 수 있도록 했다.

**이세정 · 강진아 지음 | 200쪽 | 160×215mm | 12,000원**

## 젊음과 건강을 유지하는 방법
# 착한 비타민 똑똑한 미네랄 제대로 알고 먹기

놀랍게도 대부분의 현대인은 영양 결핍 혹은 영양 과잉을 겪고 있다. 과거의 영양 결핍은 주로 단백질 결핍이었지만 요즘은 비타민이나 미네랄 결핍이 많다. 건강을 위해 한두 가지 영양제는 다들 복용하고 있지만 '대충' 먹는 영양제는 오히려 영양 불균형을 가져온다. 같은 성분이라도 성별과 연령, 증상에 따라 골라 먹어야 제대로 효과를 볼 수 있다. 국민 주치의 이승남 박사가 제시한 맞춤처방전으로 젊음과 건강을 유지하는 방법을 배워 보자.

**이승남 지음 | 184쪽 | 152×225mm | 10,000원**

먹을수록 건강해지는 우리음식

# 나물이 좋다

요리 전일섭 | 어시스트 이길동
사진 최혜성 | 어시스트 이성근 강태희
스타일링 우현주 | 어시스트 오진 한지우

그릇협찬 우리그릇 려(02-549-7573) 이도(02-722-0756)

기획·진행·편집 김연주 김은정 엄자영
디자인 김미언 김지혜
영업관리 김종선 이진목 김세희
기획 마케팅 최윤정

출력 프리테크in
인쇄 조광출판인쇄

초판 9쇄 2012년 2월 6일

발행인 이진희
발행처 리스컴

주소 서울시 강남구 논현2동 114-18
전화번호 02-540-5192~5193 (영업부)
          02-544-5922, 5933, 5944 (편집부)
          02-544-5192 (미술부)
FAX 02-540-5194
등록번호 제 2-3348
홈페이지 www.leescom.com

ISBN 978-89-91193-63-5
값 9,800원

리스컴 블로그
blog.naver.com/leescomm
맛있는 책 카페
cafe.naver.com/leescom